W9-CNW-991

Est-il possible qu'on soit assez
dépourvu de doute pour croire
en soi ?

Zola

L'idée a priori, c'est là la graine

(Cl. B.)

A prendre très important 48

~~Raisonnement~~ Expériment historique de l'évolution de l'intelligence humaine (50)

Le point de départ de l'absolu : les vérités subjectives, les math. puis la physiq. mathématique, puis les sciences expérimentales (54).

<u>Toute la théorie du roman expérimental</u> (54)

L'expérimentateur est le juge d'instruction de la nature (56)

L'hypothèse expéri. doit toujours être fondée sur une observation antérieure (58)

La naissance de l'idée et le génie (59)

L'idée, c'est la graine, la méthode c'est le sol (60)

La part du génie (62)

Le doute plus grand en biologie qu'en physique et dans le roman (64) (65)

La logique n'est pas l'expérience (Théâtre du D...

ZOLA

marc bernard

écrivains de toujours/seuil

 ISBN 2-02-000007-5

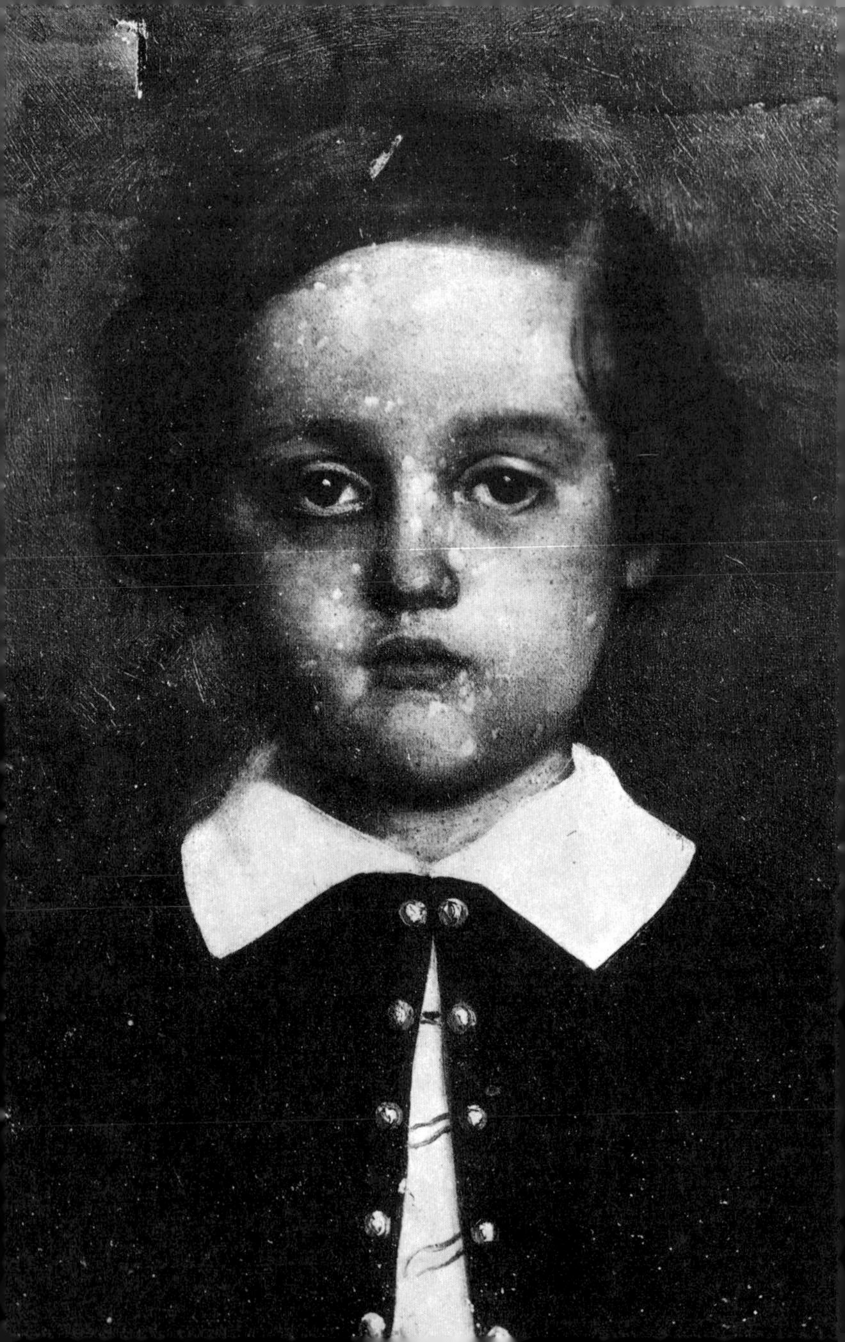

JUSQU'A DIX-HUIT ANS, A AIX.

Émile Zola est né à Paris, le 12 avril 1840, d'une mère bourguignonne et d'un père italien. François Zola, ingénieur, habitait Aix-en-Provence, où il travaillait à la construction du canal auquel on devait donner son nom.

Durant l'un de ses séjours à Paris pour obtenir les appuis nécessaires à la réalisation de son projet, il avait fait la connaissance d'une jeune fille de 19 ans, Émilie-Aurélie Aubert. François Zola avait quarante-trois ans ; homme aux promptes déterminations, à peine avait-il vu la jeune fille qu'il décidait de l'épouser.

C'est au cours d'un nouveau séjour de ses parents dans la capitale, que naquit Émile, dans le pied-à-terre que son père avait loué au numéro 10 de la rue Saint-Joseph, tout près de la rue Montmartre.

Ses démarches terminées, François Zola revint à Aix avec sa femme et son fils. Il y mourut en 1847.

Émile Zola a sept ans à la mort de son père. De sept à douze ans, il va à la pension Notre-Dame, ensuite au collège d'Aix. Il fait partie de la fanfare et joue de la clarinette aux processions, entre deux chapitres du roman qu'il a entrepris sur les Croisades. Après des études très médiocres il se met assez soudainement au travail, et remporte la plupart des premières places aux examens de fin d'année.

Bien que ses liens avec la Provence ne soient qu'accidentels, ses impressions d'enfant et d'adolescent laisseront en lui des traces durables. Il ne sera nullement écrivain de terroir, il n'aura pas pour la Provence la fidélité d'un Paul Arène ou d'un Alphonse Daudet, mais il se souviendra toujours de ses promenades dans la campagne aixoise

◀ ZOLA A CINQ ANS

Bonne maman

Loin de toi je pense à la fête que je ne puis te souhaiter de vive voix, ce jour sera pour moi un motif de plus pour me donner un souvenir de tous les bons soins dont tu as entouré mon jeune âge reçois ici l'expression des vœux de ton petit fils, qui sont de te voir heureuse et jouir dans tes vieux jours d'une tranquillité parfaite; je ferai tout ce qui dépendra de moi pour contribuer à ton bonheur et te servir d'appui lorsque mon âge le permettra.

Une caresse est tout ce que je t'envoie, je ne possède rien que je puisse t'offrir, à mon retour près de toi si je ne suis pas plus riche je ne pourrai que te dire: bonne maman voici ton petit fils et te renouvelle sa vive affection; d'ici je te vois sourire en bonne mère et ton cœur, j'en suis sûr, répond à l'avance que c'est tout ce qu'il veut.

Je prie ma cousine de t'embrasser, plus

SEPTIÈME.

DEUXIÈME DIVISION.

M. SILVESTRE, *professeur.*

EXCELLENCE.

Prix.

1er RIMBAUD Onésime, de Grimaud (Var), int.
2e LAFAYE René, d'Aix, ext.

Accessit.

1er ZOLA Emile, de Paris, 2 f. n.
2e BEDARRIDE Lucien d'Aix, ext.

THÈME.

Prix.

1er RIMBAUD Onésime, int., 2 f. n.
2e ZOLA Emile, int., 3 f. n.

Accessit.

1er BEDARRIDE Lucien, ext., 2 f. n.
2e LAFAYE René, ext., 2 f. n.

VERSION.

Prix.

1er ZOLA Emile, int., 4 f. n.
2e RIMBAUD Onésime, int. 3 f. n.

Accessit.

1er BEDARRIDE Lucien, ext., 3 f. n.
2e LEMATICOT Paul, de Lorient, ext.

GRAMMAIRE FRANÇAISE ET CALCUL.

Prix.

1er BEDARRIDE Lucien, ext., 4 f. n.
2e RIMBAUD Onésime, int., 4 f. n.

Accessit.

1er LEMATICOT Paul, ex., 2 f. n.
2e ZOLA Emile, int., 5 f. n.

HISTOIRE ET GÉOGRAPHIE.

Prix.

1er ZOLA Emile, int., 6 f. n.
2e LAFAYE René, ext., 3 f. n.

Accessit.

1er RIMBAUD Onésime, int., 5 f. n.
2e CHIRIS Antoine, de Riez (Var), int.

RÉCITATION CLASSIQUE.

Prix.

1er ZOLA Emile, int., 7 f. n.
2e RIMBAUD Onésime, int., 6 f. n.

◄ *A sa grand'mère, le 12 juillet* 1851.

Palmarès du Collège d'Aix (10 *août* 1853). ►

avec Cézanne et Baille, et toujours il parlera de cette époque de sa vie avec émotion ; les Provençaux, d'ailleurs, seront nombreux dans son œuvre et il demeurera fidèle aux amitiés de sa jeunesse.

Les paysages du Midi se sont imposés à lui, il y reviendra fréquemment dans son œuvre.

Le Paradou reste pour lui une sorte d'oasis, de paradis véritable. C'est qu'il connaît admirablement la garrigue des environs d'Aix, pour y avoir fait de longues promenades avec ses amis de collège ; il s'est baigné dans l'Arc, il a fait cuire des repas sur des feux d'herbe sèche, il a exploré des grottes, et il a pris dans ces vagabondages un goût si vif de la liberté, qu'il aura parfois les larmes aux yeux en se ressouvenant de cette époque. A vingt ans, commis des douanes, il s'évadera en imagination de son bureau misérable pour retrouver sa campagne d'Aix.

Plus encore que dans les classes du collège, son penchant pour la littérature s'est affermi au grand air, à l'ombre immense des platanes, tandis qu'il se récitait des passages de *Jocelyn* ou d'*Hernani*. Ses auteurs de prédilection sont alors Lamartine, Hugo et Musset. Cézanne et lui sont des romantiques éperdus ; entre deux plongeons, Ruy Blas et Don Salluste se donnent la réplique.

pages 9-10. *Derniers regards sur l'œuvre paternelle (le canal et le barrage François Zola), et sur cette campagne à laquelle doivent maintenant s'arracher les dix-huit ans d'Émile.*

LES DÉBUTS A PARIS.

Depuis la mort de François Zola en 1847, une gêne fort proche de la misère avait gagné peu à peu le foyer, jusqu'à pousser Madame Zola, onze ans plus tard, à quitter Aix pour venir vivre à Paris. A ce moment Émile a dix-huit ans ; il va au lycée Saint-Louis, où vont aussi Henri de Rochefort et celui qui deviendra le général de Galliffet. A cause de son accent, ses condisciples le surnomment le Marseillais. Il prépare un baccalauréat ès sciences, mais il échoue, et va passer ses vacances à Aix. Il se présente à nouveau en novembre de la même année, 1859, cette fois à Marseille, préférant tenter sa chance devant des examinateurs de province. Toujours sans succès, et, comme précédemment, *à cause du français*... Madame Zola se décourage ; il lui est impossible de laisser plus longtemps son fils au lycée, il devra chercher un emploi. Un ami de la famille va lui en trouver un dans les Douanes, aux Docks Napoléon. Il gagnera soixante francs par mois et se désespèrera en songeant à la vie médiocre qui l'attend.

Ne connaissant personne à Paris, il écrit longuement à ses amis d'Aix. Dès l'une de ses premières lettres à Baille, datée du 23 janvier 1859, il l'entretient de cette nécessité de gagner sa vie ; c'est une question qui va le tourmenter durant des années.

Je t'annonçais dans ma dernière lettre mon intention d'entrer au plus tôt comme employé dans une administration ; c'était une résolution désespérée, absurde. Mon avenir était brisé, j'étais destiné à pourrir sur la paille d'une chaise, à m'abrutir, à rester dans l'ornière. J'entrevoyais vaguement ces tristes conséquences, et j'avais ce frisson instinctif qui vous prend lorsque l'on va se plonger dans l'eau froide. Heureusement que l'on m'a retenu sur le bord de l'abîme ; mes yeux se sont ouverts, et j'ai reculé d'épouvante en sondant la profondeur du gouffre, en voyant la fange et les roches qui m'attendaient au fond. Arrière cette vie de bureau ! arrière cet égout ! me suis-je écrié, puis j'ai regardé de tous côtés, demandant un conseil à grands cris...

... Mais la faim, justement, lui donne un impérieux conseil :

Je suis encore à la charge de ma mère, qui peut à peine se suffire à elle-même. Je suis obligé de chercher un travail pour manger, et ce travail, je ne l'ai pas encore trouvé, seulement j'espère l'avoir bientôt. Telle est donc ma position ; gagner mon pain n'importe comment et, si je ne veux pas dire adieu à mes rêves, m'occuper la nuit de mon avenir. La lutte sera longue, mais elle ne m'effraye pas ; je sens en moi quelque chose et, si en réalité ce quelque chose existe, tôt ou tard il doit paraître au grand jour !

Et Zola découvre qu'il n'est point si facile de gagner son pain, fût-ce « *n'importe comment* » :

Je voudrais pouvoir te donner une certitude sur ma position matérielle. Malheureusement, rien n'est moins certain que cette partie de mon avenir. Depuis plus d'un an, je fais une chasse féroce aux emplois ; mais si je cours bien, ils courent mieux encore. J'ai adressé demande sur demande ; je me suis présenté à une foule d'administrations : partout des longueurs, jamais un résultat. — Tu ne saurais croire combien je suis difficile à placer. Non pas que j'impose des conditions, que je veuille faire ceci plutôt que cela ; dans le commencement, j'avais cet orgueil, rien n'en reste aujourd'hui !

Le voici enfin, en avril 1860, commis des Douanes, pour soixante francs par mois. Ce qui n'a, bien sûr, rien de très exaltant. Émile le confie à Baille, non sans quelque amertume :

Quant à moi, ma vie est toujours monotone. Lorsque, courbé sur mon pupitre, écrivant sans savoir ce que j'écris je dors tout éveillé, comme abruti, soudain, parfois, un frais souvenir passe dans mon esprit, une de nos joyeuses parties, un des sites que nous affectionnions, et mon cœur se serre affreusement. Je lève la tête, et je vois la triste réalité ; la chambre poudreuse, encombrée de vieilles paperasses, peuplée par un monde de commis stupides pour la plupart ; j'entends le monotone grincement des plumes, des mots stridents, des termes bizarres pour moi ; et là, sur la vitre, comme pour me railler, les rayons de soleil viennent se jouer et m'annoncer qu'au dehors la nature est en fête, que les oiseaux ont des chants mélodieux, les fleurs des parfums enivrants. Je me renverse sur ma chaise, je ferme les yeux, et pour un instant je vous vois passer, vous, mes amis ; je les vois, elles aussi, ces femmes que j'aimais sans le savoir. Puis tout s'évanouit, la réalité revient plus terrible, je reprends ma plume et je me sens des envies de pleurer.

Ce « *monde de commis stupides* », il ne le supportera pas longtemps : deux mois plus tard il démissionne. C'est alors pour lui une nouvelle et courte période de bohème : il vit dans sa mansarde, et se nourrit de pain trempé dans l'huile et frotté d'ail.

Durant toute cette première phase de son existence à Paris, malgré ses échecs d'étudiant, et si difficile que l'avenir ait pu s'annoncer pour lui, Zola ne s'est pourtant jamais abandonné au découragement. C'est qu'il croit à ce « *quelque chose* » en lui, et qu'il est prêt à lutter pour le faire, « *tôt ou tard, paraître au grand jour* ».

En décembre 1859, il annonce à Baille l'achèvement de sa première œuvre en prose :

Je ne vois personne et les soirées me paraissent bien longues. Je fume beaucoup, je lis beaucoup et j'écris fort peu. J'ai cependant achevé Les Grisettes de Provence ; *j'ai ressenti comme un certain plaisir en racontant ces folies. Mais je suis loin d'être content de mon œuvre : la matière était excessivement pénible ; les événements couraient les uns après les autres, il n'y avait pas de nœud, pas de dénouement. De plus, cela manquait de dignité et de moralité ; nos rôles étaient aussi bien loin d'être des rôles de héros de roman...*

... Cette insatisfaction qu'il éprouve ne diminue pas sa confiance en lui-même :

Ce n'est pas que l'inspiration soit morte en moi ; dans mes heures de rêveries, mon esprit est aussi puissant qu'autrefois, mes conceptions tout aussi grandes.

Dans la même lettre à Baille, il résume une profession de foi à laquelle il demeurera fidèle :

Être toujours inconnu, c'est arriver à douter de soi ; rien ne grandit les pensées d'un auteur comme le succès. N'importe, pour être connu, il faut que je travaille encore ; je suis jeune, et, si les derniers mois qui viennent de s'écouler, pleins de trouble et de désillusions, m'ont été nuisibles, ils ne sauraient avoir étouffé en moi toute poésie.

Tenace, le thème réapparaît à maintes reprises durant cette période. En mai 1860 :

Je te disais dans ma dernière lettre que mon bonheur à moi était une immense tranquillité, et au dehors, et dans mon être. Comme ce rêve pourrait te paraître en désaccord avec mon autre rêve, celui d'une gloire littéraire, j'ajoutais que je reviendrais sur ce sujet. C'est que, sans doute, tu ne sais pas les idées qu'éveille en moi le nom d'auteur.

De même, un peu plus tard, ces lignes prophétiques :

Quant à l'avenir, je ne sais ; si je prends définitivement la carrière littéraire, j'y veux suivre ma devise : Tout ou rien ! *Je voudrais par conséquent ne marcher sur les traces de personne ; non pas que j'ambitionne le titre de chef d'école, — d'ordinaire, un tel homme est toujours systématique, — mais je désirerais trouver quelque sentier inexploré, et sortir de la foule des écrivassiers de notre temps.*

Ce qu'il réalisera dans une dizaine d'années, la création d'une équipe avec Flaubert, les Goncourt, Alphonse Daudet, il le propose dès maintenant à Baille et à Cézanne :

Le but surtout de cette association serait de former un puissant faisceau pour l'avenir, de nous soutenir mutuellement, quelle que soit la position qui nous attende. Nous sommes jeunes, l'espace est à nous, ne serait-il pas sage avant de nous élancer de nous serrer la main, de former un nouveau lien entre nous, pour qu'une fois dans la lutte nous sentions à nos côtés un ami, ce rayon d'espoir dans la nuit humaine.

Mais ce qu'il ne sait évidemment pas, c'est ce qu'il écrira par la suite. Baille est réaliste, et Zola s'acharne à lui montrer que cette conception du monde est fausse :

Ce qui m'irritait profondément autrefois était cette persistance de ta part à ne pas vouloir comprendre ma philosophie. J'avais beau te crier : « La réalité est triste, la réalité est hideuse ; voilons-la donc sous des fleurs ; n'ayons de commerce avec elle qu'autant que notre misérable humanité l'exige ; mangeons, buvons, satisfaisons tous nos appétits brutaux, mais que l'âme ait sa part, que le rêve embellisse nos heures de loisir. » Tu me répondais invariablement que je me perdais aux nues, que je ne voyais pas ce qui m'aveuglait. Ne pas le voir, bon Dieu ! Je détourne les yeux du fumier pour les porter sur les roses, non pas que je nie l'utilité du fumier qui fait éclore mes belles fleurs, mais parce que je préfère les roses, si peu utiles pourtant. Tel je me montre à l'égard de la réalité et de l'idéal. J'accepte l'une comme nécessaire, je m'y soumets selon la nature ; mais, dès que je puis m'échapper de cette ornière commune, je cours à l'autre et je m'égare dans mes prairies.

Et comme Baille se laisse malaisément convertir à l'idéalisme de son ami, Zola revient à la charge :

Quand on remue la fange, il reste toujours quelques souillures aux mains ; quand à l'aurore on s'égare dans les champs, on rentre parfumé de fleurs et de rosée. Le poète satirique, voyant toujours l'homme par ses mauvais côtés, finit par le prendre en pitié, en mépris, en haine ; son rire, d'abord railleur, devient amer ; son désir de corriger se change en celui de flageller ; plus il va, plus la vase est profonde, plus il devient dur, impitoyable ; son dernier cri est un blasphème.

Tout en menant le bon combat contre le réalisme, Zola change souvent de domicile, sans jamais s'éloigner beaucoup de ce Panthéon dans lequel, plus tard...

J'ai changé de demeure et ma nouvelle adresse est rue Neuve-Saint-Etienne-du-Mont, n° 21. *J'habite là un petit belvédère, occupé autrefois par Bernardin de Saint-Pierre et où il a, dit-on, écrit presque toutes ses œuvres. Une mansarde de bon augure pour un poète.*

N'ayant pas de quoi s'acheter du charbon, il s'enroule l'hiver dans une couverture : c'est ce qu'il appelle « *faire l'Arabe* ». Il rêve à l'avenir ; il écrit des poèmes, qui sont mauvais ; il éprouve des sentiments simples :

Voilà bientôt quinze jours que je file un amour des plus platoniques. Une jeune fille, une fleuriste qui reste à côté de chez moi, passe sous ma fenêtre deux fois par jour, le matin à six heures et demie, et le soir à huit heures. C'est une petite blonde, toute mignonne, toute gracieuse ; petite main, petit pied, une grisette des plus gentilles. Aux heures où elle doit passer, je me mets régulièrement à la fenêtre : elle vient, lève les yeux ; nous échangeons un regard, même un sourire ; puis c'est tout.

La mansarde de Bernardin de Saint-Pierre a décidément frappé son imagination ; il voit là plus qu'une coïncidence : un intersigne. Et il en fait part à Cézanne :

Je ne sais vraiment quelle destinée me poursuit dans le choix de mes logements. Tout enfant, j'ai habité, à Aix, la demeure de Thiers. Je viens à Paris et ma première chambre est celle de Raspail ; puis aujourd'hui, je ne sais trop par quelle fatalité, je déménage de ce splendide septième dont je t'ai parlé au printemps dernier, et je choisis justement une nouvelle mansarde, celle où Bernardin de Saint-Pierre a écrit la plupart de ses œuvres. Un vrai bijou que cette nouvelle chambrette ; petite, il est vrai, mais égayée par le soleil et surtout originale au possible. On y grimpe à l'aide d'un escalier tournant, deux fenêtres, l'une au midi, l'autre au nord. En un mot, un belvédère ayant pour horizon presque toute la grande ville. J'allais oublier de te dire que ma nouvelle rue se nomme Neuve-Saint-Etienne-du-Mont et que mon nouveau numéro est le numéro 24.

Cependant, les réactions de Cézanne et de Baille ne tardent pas à le décevoir : celui-ci est mou, celui-là craint toujours qu'on ne lui « mette le grappin dessus ». Quand Zola leur distribue les rôles, quand il rêve de former avec eux cette équipe où, l'un poussant l'autre, tous parviendront au sommet, ils renâclent, lambinent et se refusent à voir aussi grand que lui.

Dès cette époque, les principaux traits de son caractère sont nettement dessinés : passion du travail, volonté, confiance en soi, goût de la lutte, et un certain dogmatisme. Ce rêveur singulièrement actif est un grand garçon myope, aux épaules larges, solidement bâti, maladroit, avec un défaut de langue qui change les « s » en « f ».

CHEF DE PUBLICITÉ.

En février 1862, afin de gagner sa vie, mais aussi de se rapprocher du monde littéraire, Zola entre chez Hachette. Il y fera tout d'abord des paquets. Le voici sur le premier degré de la gloire ; il n'a qu'à monter. C'est ce qu'il s'apprête à faire, sans perdre de temps. Très bientôt, il passe au premier étage, où il devient chef de publicité. Ce n'est pas tout à fait ce qu'il espérait, quand il a déposé sur le bureau de son patron le manuscrit d'un poème. Le poème ne sera pas publié, mais il a intéressé M. Hachette, qui augmente son employé. Émile gagne désormais deux cents francs par mois.

Plus réellement avantageuse sera toutefois l'expérience même qu'il va acquérir, en s'employant à faire vendre les œuvres de ses confrères. Ses nouvelles fonctions le mettent en rapport avec quelques-uns des écrivains les plus connus d'alors : Guizot, Lamartine, Michelet, Littré, Sainte-Beuve. Taine vient souvent, car des lecteurs lui écrivent là pour lui faire part de leurs suggestions sur son *Histoire de la littérature anglaise.* Viennent aussi, plus assidûment encore, des romanciers plus obscurs, comme Amédée Achard, de Lanoye, Francis Rey, et d'autres qui sont célèbres, tel Edmond About.

Zola découvre que la littérature est aussi un métier, un commerce, et que la valeur d'une œuvre ne suffit pas toujours à nourrir son auteur, sans l'intervention de la publicité, sans l'habileté, les intrigues et le jeu des relations. A dire vrai, avec son flair de la réalité, Émile Zola s'en doutait un peu. Ces auteurs qu'il lui est arrivé d'admirer de loin, alors qu'il se trouvait de l'autre côté de la barricade, perdu dans la foule des lecteurs, voici qu'il les approche, écoute leurs confidences, voit leurs inquiétudes, reçoit leurs doléances, apprend d'eux les meilleures recettes pour faire vendre un livre. Il est à la fois leur instrument et leur élève. La leçon ne sera pas perdue.

Cette découverte ne le consterne pas. Un livre est fait pour être vendu, et tous les moyens sont bons qui tendent à ce résultat. Émile Zola est ravi de se trouver dans ce confessionnal. Chaque écrivain, en franchissant le seuil, ôte le masque. Zola écoute, agit et retient. Les romanciers qui lui parlent sont loin d'imaginer que ce garçon de vingt-deux ans les éclipsera tous, que le tirage de ses romans atteindra des chiffres dont ils n'oseraient pas rêver, que sa réussite commerciale en même temps que littéraire sera l'une des plus étonnantes du siècle, et qu'il deviendra le rival direct de Hugo ; pour l'instant, le chef de publicité envoie des communiqués aux journaux pour vanter les mérites du dernier roman d'Amédée Achard ou de Francis Rey.

Tout en essayant d'écouler la production des autres, Zola travaille à la sienne. Sans doute a-t-il vu le chiffre de vente des recueils de poèmes, car désormais il n'écrira plus qu'en prose, ce dont présentement il se console en soignant la forme.

Naturalisé en 1862, le tirage au sort l'exempte du service militaire. Durant ses heures de loisir, il peut ainsi travailler en toute tranquillité à ses *Contes à Ninon*, qu'il termine à vingt-quatre ans. Trois éditeurs refusent le manuscrit, mais Zola ne veut plus garder ses œuvres dans un tiroir, il est bien décidé à forcer une porte.

Quand il entre dans le bureau de M. Lacroix, il commence par dire : « Trois éditeurs ont refusé ce manuscrit ». Lacroix regarde avec étonnement ce jeune écrivain si pressé d'avouer ce que ses confrères aiment mieux ne pas dire. Mais c'est un étonnement sympathique. Zola, d'ailleurs, ajoute aussitôt : « J'ai du talent. » Et il dit cela sans orgueil, peut-être même avec une certaine gêne, comme une évidence qu'il ne servirait à rien de dissimuler, et sur un ton de si tranquille conviction que Lacroix est pris. Le manuscrit aussi.

Zola n'a plus qu'à passer à l'action, car il n'est pas de ceux qui attendent que la fortune et la célébrité franchissent leur porte : il fait volontiers les premiers pas. Aussi montre-t-il lui-même à Lacroix la façon de s'y prendre pour faire acheter un livre ; et comme il est des

ÉMILE ZOLA

CONTES A NINON

A Ninon..
Simplice. — Le Carnet de Danse.
Celle qui m'aime. — La Fée Amoureuse.
Le Sang. — Les Voleurs et l'Ane.
Sœur-des-Pauvres.
Aventures du grand Sidoine
et du petit Médéric.

PARIS
LIBRAIRIE INTERNATIONALE
15, BOULEVARD MONTMARTRE
au coin de la rue Vivienne
J. HETZEL ET A. LACROIX, ÉDITEURS

démarches que décemment un auteur ne peut faire, il les inspire.

Jamais peut-être le goût d'être célèbre, d'« arriver », ne s'est affirmé avec plus de netteté, plus de réalisme. C'en est fini des rêveries dans les mansardes ; le public est là, à conquérir,

Zola ne doute pas un instant qu'il y parviendra ; chez lui, aucune hésitation, point de fausse pudeur ; il sait exactement ce qu'il veut et comment cela s'obtient.

Baille et Cézanne sont venus le rejoindre à Paris. C'est à Antony Valabrègue, demeuré à Aix, que s'adresse désormais (de 1864 à 1867) la correspondance régulière de Zola. Le style de ses lettres a changé, il est devenu net, pressé, il s'est dépouillé des bavardages d'adolescence. Par une sorte de coquetterie, Zola se prétend paresseux :

Je vous écris au courant de la plume, en homme pressé, non pas que j'aie beaucoup de besogne en ce moment, mais je suis tellement paresseux que je me hâte toujours de terminer le travail commencé, pour ne plus rien faire ensuite.

On voit qu'il s'agit d'une paresse assez peu commune, et Valabrègue ne s'y trompe pas, puisque Zola doit préciser:

Je ne sais si vous me croirez : mais je n'ai pu vous répondre plus tôt, faute de temps, certains jours, faute de gaieté, certains autres. Il serait plus commode, je le sais, d'expliquer tout ceci par une bonne crise de paresse. Toutefois, ma paresse travailleuse, comme vous vous plaisez à appeler mon exactitude ordinaire, n'est certainement pour rien en cette occasion ; je serai, si vous le voulez à toute force, un paresseux paresseux.

Comme son ami lui reproche d'avoir écrit un article d'un caractère trop personnel, Zola lui répond :

Allez, dites moi *sans crainte ; le jour où votre* moi *deviendra célèbre, ce sera le* moi *de toute une foule.*

Le mot d'ordre de ce Napoléon de la littérature est simple :

Vous savez ce que je vous criais du seuil de ma porte, lorsque vous étiez déjà au premier étage : « Des œuvres, des œuvres ! »

Au passage, il organise la propagande pour son livre :

Moi, j'ai remporté ma première victoire. Hetzel a accepté mon volume de contes ; ce volume paraîtra vers le commencement d'octobre prochain. La lutte a été courte, et je m'étonne de n'avoir pas été plus meurtri. Je suis sur le seuil, la plaine est vaste, et je puis encore très bien m'y casser le cou. N'importe ; puisqu'il ne s'agit plus que de marcher en avant, je marcherai. Apprêtez-vous à me faire un article, n'importe où ; je veux vous donner la joie de me contredire tous.

... Mais ces fades *Contes à Ninon*, qui sont loin d'annoncer l'étonnante puissance ultérieure de l'écrivain, appellent peu la contradiction. Quelques semaines plus tard, dans une longue lettre à Valabrègue, Zola développe déjà ce qu'il appelle sa « *théorie des Écrans* ».

Nous voyons la création, dans une œuvre, à travers un homme, à travers un tempérament, une personnalité. L'image qui se produit sur cet Écran de nouvelle espèce est la reproduction des choses et des personnes placées au delà, et cette reproduction, qui ne saurait être fidèle, changera autant de fois qu'un nouvel Écran viendra s'interposer entre notre œil et la création. De même, des verres de différentes couleurs donnent aux objets des couleurs différentes ; de même, des lentilles, concaves ou convexes, déforment les objets chacune dans un sens.

Théorie qui le conduit à critiquer en ces termes ce que plus tard il fera lui-même :

Chaque école a ceci de monstrueux qu'elle fait mentir la nature suivant certaines règles.

Quant au réalisme, qu'il reprochait si vivement à Baille il y a quatre ans, il s'en réclame maintenant, tout en portant sur lui un jugement assez objectif :

L'Écran réaliste est un simple verre à vitre, très mince, très clair, et qui a la prétention d'être si parfaitement transparent que les images le traversent et se reproduisent ensuite dans toute leur réalité. Ainsi, point de changement dans les lignes ni dans les couleurs : une reproduction exacte, franche et naïve. L'Écran réaliste nie sa propre existence. Vraiment, c'est là un trop grand orgueil. Quoi qu'il dise, il existe, et, dès lors, il ne peut se vanter de nous rendre la création dans la splendide beauté de la vérité. Si clair, si mince, si verre à vitre qu'il soit, il n'en a pas moins une couleur propre, une épaisseur quelconque ; il teint les objets, il les réfracte tout comme un autre. D'ailleurs, je lui accorde volontiers que les images qu'il donne sont les plus réelles ; il arrive à un haut degré de reproduction exacte. Il est certes difficile de caractériser un Écran qui a pour qualité principale celle de n'être presque pas ; je crois, cependant, le bien juger, en disant qu'une fine poussière grise trouble sa limpidité. Tout objet, en passant par ce milieu, y perd de son éclat, ou, plutôt, s'y noircit légèrement. D'autre part, les lignes y deviennent plus plantureuses, s'exagèrent, pour ainsi dire, dans le sens de leur largeur. La vie s'y étale grassement, une vie matérielle et un peu pesante.

Et voici la première prise de position du futur chef de l'école naturaliste :

Toutes mes sympathies, s'il faut le dire, sont pour l'Écran réaliste ; il contente ma raison, et je sens en lui des beautés immenses de solidité et de vérité. Seulement, je le répète, je ne peux l'accepter tel qu'il veut se présenter à moi ; je ne puis admettre qu'il nous donne des images vraies ; et j'affirme qu'il doit avoir en lui des propriétés particulières qui déforment les images, et qui, par conséquent, font de ces images des œuvres d'art. J'accepte d'ailleurs pleinement sa façon de procéder, qui est celle de se placer en toute franchise devant la nature, de la rendre dans son ensemble, sans exclusion aucune.

Dans le même temps, Zola ne s'attache pas avec moins d'ardeur à la réussite commerciale de son livre :

... J'e travaille à obtenir pour mon volume le plus de publicité possible, et j'espère arriver à un splendide résultat. Dieu merci, tout est à peu près terminé : le volume est à la brochure, mes lettres d'envoi sont écrites, mes réclames rédigées : j'attends.

Et son emploi du temps n'est pas précisément celui d'un paresseux :

Vous ne sauriez croire combien je suis occupé ; j'ai entrepris une telle besogne que je ne sais où donner de la tête : d'abord, j'ai, par jour, dix heures prises à la librairie ; je donne ensuite, toutes les semaines, un article de 100 à 150 lignes au Petit Journal, *et, tous les quinze jours, un article de 500 à 600 lignes au* Salut public *de Lyon ; enfin, j'ai mon roman, auquel*

Lettre de Zola aux Goncourt

17.

LIBRAIRIE
DE
L. HACHETTE ET Cie
Rue Pierre-Sarrazin, 14

Paris, 3 février 1865

Messieurs

Je suis chargé de faire, dans le Salut public, de Lyon, une Revue littéraire de quinzaine, et j'~~aurai~~ le plus vif désir de consacrer un grand article à votre dernière œuvre, Germinie Lacerteux.

Auriez-vous l'extrême obligeance de me faire remettre ce volume?

je devrais travailler, et qui, jusqu'ici, a dormi tranquillement au fond d'un tiroir. Vous comprenez que je n'écris pas toute cette prose pour les beaux yeux du public ; on me paye l'article 20 francs au Petit Journal, *et 50 à 60 francs au* Salut public ; *de sorte que je me fais environ 200 francs par mois avec ma plume. La question d'argent m'a un peu décidé dans tout ceci ; mais je considère aussi le journalisme comme un levier si puissant que je ne suis pas fâché du tout de pouvoir me produire à jour fixe devant un nombre considérable de lecteurs. C'est cette pensée qui vous expliquera mon entrée au* Petit Journal. *Je sais quel niveau cette feuille occupe dans la littérature, mais je sais aussi qu'elle donne à ses rédacteurs une popularité bien rapide.*

... De peur toutefois que Valabrègue ne comprenne pas le sens très précis de ses efforts, il se résume :

En ce moment, j'ai un double but, celui de me faire connaître et d'augmenter mes rentes.
Le ciel me vienne en aide !

Mais il préfère ne pas trop compter sur cette aide céleste : aussi adopte-t-il cette méthode de travail, à laquelle il se tiendra désormais jusqu'au bout :

A présent, il me faut marcher, marcher quand même. Que la page écrite soit bonne ou mauvaise, il faut qu'elle paraisse. J'éprouve tout à la fois une véritable volupté à me sentir peu à peu sortir de la foule, et une sorte d'angoisse à me demander si j'aurai les forces nécessaires, si je pourrai me tenir debout pendant longtemps sur le degré que j'aurai atteint.

Poète provincial, Valabrègue conserve des illusions sur la valeur en soi de la chose écrite. Zola le rappelle durement à la réalité :

Si vous saviez, mon pauvre ami, combien peu le talent est dans la réussite, vous laisseriez là plume et papier, et vous vous mettriez à étudier la vie littéraire, les mille petites canailleries qui ouvrent les portes, l'art d'user le crédit des autres, la cruauté nécessaire pour passer sur le ventre des chers confrères.

Et sans cesse revient ce leit-motiv :

Me comprenez-vous bien, et m'écoutez-vous ? Nous sommes des impatients, nous voulons le succès au plus vite

— pourquoi ne pas l'avouer tout haut ? — il faut donc que nous fassions notre succès. Le bruit s'en va, le talent reste.

Je sais bien que l'indifférence serait plus haute et plus digne ; mais, je vous l'ai dit, nous sommes les enfants d'un âge impatient, nous avons des rages de nous grandir sur nos talons, et si nous ne foulons les autres aux pieds, soyez certains qu'ils passeront sur nos corps.

Depuis la mort de François Zola, Madame Zola et son fils n'ont eu que des ennuis avec la ville d'Aix. Valabrègue vient d'apprendre à son ami que la municipalité veut débaptiser le canal Zola.

Vous me dites qu'on est en train d'ôter au canal dont mon père est l'auteur le nom de Canal Zola. Précisez, je vous prie, dans votre prochaine lettre : dites-moi comment et dans quelles circonstances ce changement de nom a été tenté. Vous devez comprendre qu'en ce moment surtout, je ne tiens guère à la faible renommée que peut m'attirer un nom donné à un mur ; quant à moi, je me sens de taille à bâtir plusieurs murs s'il le faut. Mais j'ai là un devoir à remplir, et s'il y a une lettre à écrire, je l'écrirai, ne serait-ce que pour protester.

Et Zola, qui rêve en fait d'une tout autre gloire, conclut par ces mots :

Du courage, mon cher Valabrègue, je suis tout espérance. Nous sommes jeunes, et il y a des places à prendre.

Désormais il ne s'arrêtera plus, la mort seule mettra un terme à son activité. Il écrira un roman par an, souvent en deux volumes, sans compter les pièces de théâtre et ouvrages de critique, et d'innombrables articles.

DE 1866 A LA GUERRE.

Les *Contes à Ninon* ont paru en 1864, *La confession de Claude* en 1865, et les deux livres ont été assez bien accueillis par la critique. Aussi, le 8 janvier 1866, Zola annonce-t-il à Valabrègue sa grande décision : quitter la librairie Hachette, se consacrer entièrement à la littérature. Et sa passion pour le théâtre, qui sera si souvent malheureuse, s'exprime ici pour la première fois :

Je quitte la librairie à la fin de janvier, et je remplace mon travail de bureau par la rédaction de certains livres qui me sont commandés chez Hachette. Je vais m'occuper beaucoup de théâtre ; maintenant tous les éditeurs me sont ouverts ; mais je n'ai pas une seule scène à mon service, il va me falloir donner assaut de ce côté, qui est le côté du gain et du retentissement. En outre, je compte écrire plus ou moins régulièrement dans quatre à cinq journaux. Je battrai monnaie autant que possible. D'ailleurs j'ai foi en moi, et je marche gaillardement.

Mais il ne tarde pas à comprendre qu'il s'est trompé sur lui-même, qu'il n'est pas fait pour rivaliser avec les ciseleurs de prose, et qu'il perd son temps à lutter de grâce avec les Musset ou les Gautier ; une besogne plus rude l'attend. Le réalisme le tente ; il s'en est approché, mais avec encore un peu de timidité, dans *La confession de Claude.* C'est avec *Thérèse Raquin* qu'il franchit définitivement le pas, quatre ans après avoir publié ses *Contes à Ninon.* Il a vingt-huit ans.

Ce qu'il lui faut désormais, c'est la tranche de vie, saignante si possible. Tournant le dos à Musset comme à Hugo, il abomine ce romantisme qu'il a tant aimé adolescent. Ses maîtres sont Balzac, Stendhal, Duranty, Flaubert.

◀ ZOLA A 25 ANS

Cette réalité qui naguère lui faisait horreur, elle sera son pain quotidien. Mais il y mêle quelques épices. Comme l'ogre il réclame l'homme entier. Quel appétit, et quelle hâte !

Cependant qu'il travaille à *Thérèse Raquin*, on lui propose d'écrire un immense roman-feuilleton sur les mystères de Marseille. Il fait part de cette proposition à Valabrègue, le 19 février 1867 :

Vous devez savoir que je vais entreprendre un grand travail dans Le Messager de Provence, *journal paraissant à Marseille ; j'y publierai, à partir du 1er mars, un long roman* : Les Mystères de Marseille, *basé sur les pièces des derniers procès criminels. Je suis encombré de documents ; je ne sais pas comment je vais faire sortir un monde de ce chaos. Ce travail est peu payé ; mais je compte sur un grand retentissement dans tout le Midi. Il n'est pas mauvais d'avoir une contrée à soi. D'ailleurs, j'ai accepté les propositions qui m'ont été faites, poussé toujours par cet esprit de travail et de lutte dont je vous parle plus haut. J'aime les difficultés, les impossibilités. J'aime surtout la vie, et je crois que la production, quelle qu'elle soit, est toujours préférable au repos. Ce sont ces pensées qui me feront accepter toutes les luttes qu'on m'offrira, luttes avec moi-même, luttes avec le public. On me dit que l'annonce des* Mystères de Marseille *fait un certain bruit là-bas. Des circulaires vont être distribuées, des affiches seront collées. Si vous entendiez dire quelque chose de curieux au sujet de mon roman, veuillez me l'écrire.*

Valabrègue lui ayant reproché d'accepter une besogne indigne de son talent, Zola lui répond :

J'ai besoin de la foule, je vais à elle comme je peux, je tente tous les moyens pour la dompter. En ce moment j'ai surtout besoin de deux choses : de publicité et d'argent.

Il est pourtant sans illusions sur la qualité de son feuilleton. Ce qui lui tient uniquement à cœur c'est *Thérèse Raquin*, qu'il appelle sa « *grande étude psychologique et physiologique* ».

Je vous dis ceci en ami. Il est bien entendu que je vous abandonne Les Mystères de Marseille. *Je sais ce que je fais.*

ÉMILE ZOLA

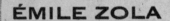

LES MYSTÈRES DE MARSEILLE

ROMAN HISTORIQUE CONTEMPORAIN

PREMIÈRE PARTIE

MARSEILLE
IMP. NOUVELLE A. ARNAUD, RUE VACON, 21.

1867.

Les cadavres restèrent toute la nuit sur le carreau de la salle à manger, tordus, vautrés, éclairés de lueurs jaunâtres par les clartés de la lampe que l'abat-jour jetait sur eux. Et pendant plus de douze heures, jusqu'au lendemain vers midi, Mme Raquin, roide et muette, les contempla à ses pieds, ne pouvant rassasier ses yeux, les écrasant de regards lourds.

EMILE ZOLA.

Dernière page d'une prépublication de Thérèse Raquin, *sous le titre « Un mariage d'amour ».*

En ce moment, je mène de front trois romans : Les Mystères, *une nouvelle pour* L'Illustration, *et une grande étude psychologique pour* La Revue du XIXe Siècle. *Je suis très satisfait de cette dernière œuvre ; c'est, je crois, ce que j'ai fait de mieux jusqu'à présent. Je crains même que l'allure n'en soit trop corsée, et que Houssaye ne recule au dernier instant. L'ouvrage paraîtra en trois parties ; la première partie est terminée et doit paraître au mois de mai. Vous voyez que je vais vite en besogne. Le mois dernier, j'ai écrit cette première partie — un tiers du volume —, et une centaine de pages des* Mystères. *Je reste courbé sur mon bureau du matin au soir.*

Le 29 mai 1867, il en reparle à Valabrègue :

Je suis très content du roman psychologique et physiologique que je vais publier dans La Revue du XIXe Siècle. *Ce roman, qui est écrit presque entièrement, sera à coup sûr ma meilleure œuvre. Je crois m'y être mis cœur et chair. Je crains même de m'y être mis un peu trop en chair et d'émouvoir Monsieur le procureur impérial. Il est vrai que quelques mois de prison ne me font pas peur.*

Mais ce n'est pas seulement à son ami qu'il se confie avec tant d'abandon ; l'une des qualités de Zola, c'est la franchise. Et quand il offre des articles à Alphonse Duchesne, collaborateur de M. de Villemessant au *Figaro*, le 11 avril 1865, il s'exprime avec autant de netteté que dans ses lettres à Valabrègue :

Permettez-moi de me présenter moi-même, n'ayant point d'introducteur et préférant ne pas vous mettre en défiance par une protection quelconque.

J'ai publié dernièrement un volume de nouvelles qui a eu quelque succès, je fais au Salut public *une revue littéraire, et je donne des articles au* Petit Journal. *Tel est mon bagage.*

Je désire l'augmenter et réussir au plus tôt. Dans ma hâte, j'ai songé à votre journal, comme à la feuille qui peut procurer la notoriété la plus rapide. Je vais donc à vous franchement, je vous envoie quelques pages de prose et je vous demande en toute naïveté : Cela vous convient-il ? Si ma petite personnalité vous déplaît, n'en parlons plus ; si c'est seulement l'article ci-joint qui ne vous plaît pas, je pourrai en écrire d'autres.

Je suis jeune et, je l'avoue, j'ai foi en moi. Je sais que vous aimez à essayer les gens, à inventer des rédacteurs nouveaux.

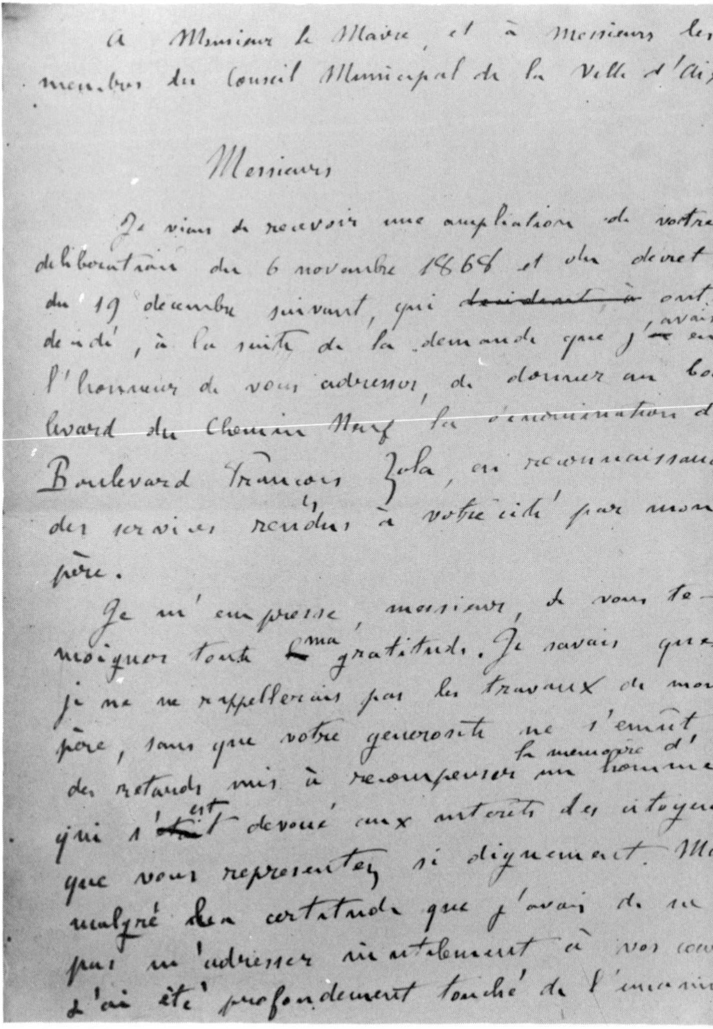
A Monsieur le Maire, et à Messieurs les membres du Conseil Municipal de la Ville d'Aix

Messieurs

Je viens de recevoir une ampliation de votre délibération du 6 novembre 1868 et du décret du 19 décembre suivant, qui ~~décident, à~~ ont décidé, à la suite de la demande que j'avais eu l'honneur de vous adresser, de donner au bou-levard du Chemin Neuf la dénomination de Boulevard François Zola, en reconnaissance des services rendus à votre cité par mon père.

Je m'empresse, messieurs, de vous té-moigner toute ma gratitude. Je savais que je ne me rappellerais pas les travaux de mon père, sans que votre générosité ne s'émût, des retards mis à récompenser la mémoire d'un homme qui s'est dévoué aux intérêts des citoyens que vous représentez si dignement. Ma[is] malgré la certitude que j'avais de ne pas m'adresser inutilement à vos cœ[urs] j'ai été profondément touché de l'empress[ement]

Brouillon d'une lettre par laquelle Zola remercie le Conseil Municipal d'Aix,

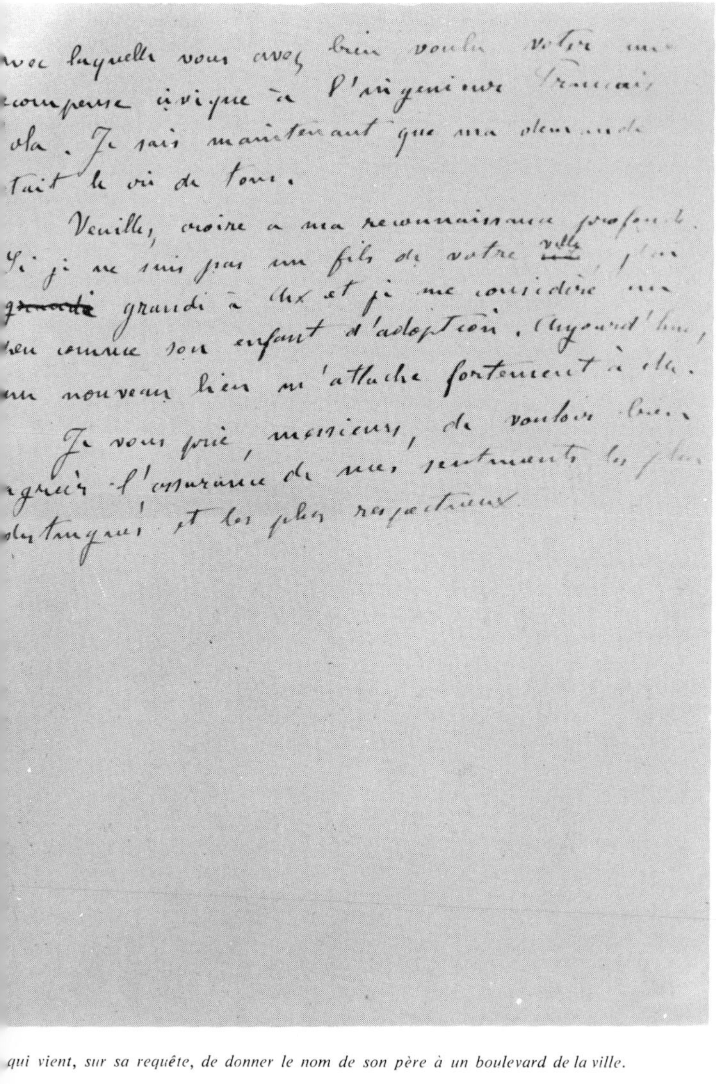
vec laquelle vous avez bien voulu votre une
compense civique à l'ingénieur François
ola. Je sais maintenant que ma demande
tait le vœu de tous.

Veuillez croire à ma reconnaissance profonde.
Si je ne suis pas un fils de votre ville, j'ai
~~grandi~~ grandi à Aix et je me considère un
peu comme son enfant d'adoption. Aujourd'hui,
un nouveau lien m'attache fortement à elle.

Je vous prie, messieurs, de vouloir bien
agréer l'assurance de mes sentiments les plus
distingués et les plus respectueux.

qui vient, sur sa requête, de donner le nom de son père à un boulevard de la ville.

Essayez-moi, et inventez-moi. Vous aurez toujours la fleur du panier.

Une telle attitude et de tels efforts ne tardent pas à porter leurs fruits. Émile Zola, qui vient de se marier, peut enfin s'installer dans un véritable appartement. C'est ce qu'il annonce , non sans fierté, à son ami Coste dans une lettre du 26 juillet 1866 :

Je n'habite plus la rue de l'École-de-Médecine. Je suis maintenant avec ma femme rue de Vaugirard, n° 10, *à côté de l'Odéon. Nous avons là tout un appartement, salle à manger, chambre à coucher, salon, cuisine, chambre d'ami, terrasse. C'est un palais véritable dont nous vous ouvrirons largement les portes dès votre retour.*

Mais on aurait tort d'en conclure qu'il « s'installe », moralement parlant, et qu'il va s'endormir sur ces premiers lauriers :

En somme, je suis satisfait du chemin parcouru. Mais je suis un impatient, et je voudrais marcher encore plus vite.

Si grande que soit son impatience, Zola va pourtant se voir contraint de marquer le pas durant quelque temps. Bien que la publication de *Thérèse Raquin* ait attiré sur lui l'attention de la critique, ce vaste public qu'il recherche avec tant d'obstination demeure encore réticent. Et la publication l'année suivante, en 1868, de *Madeleine Férat* marque peu de progrès dans la situation du romancier.

En écrivant *Les Mystères de Marseille*, il a appris son métier, il s'est fait une méthode de travail. De la masse, des documents qu'on lui avait fournis, il a tiré des histoires qu'il a organisées autour d'un thème central : il ne procèdera pas autrement avec la série des *Rougon-Macquart*, rassemblant, là aussi, avant chaque nouveau roman, toutes sortes de notes et de renseignements sur tel ou tel milieu qu'il s'agira pour lui de décrire. Et c'est encore à la rédaction de ce feuilleton qu'il doit d'avoir renoncé aux recherches de style, pour lesquelles il n'est point fait, et d'avoir compris qu'il lui faut sacrifier la perfection du détail aux effets d'ensemble, aux valeurs de masses. Mais si la technique paraît être au point, la puissante machine tourne encore au ralenti.

CRÉATION DES ROUGON-MACQUART.

Passer d'un roman à un autre, sans aucun lien, repartir chaque fois sur nouveaux frais pour une nouvelle histoire, ce n'est pas encore ce qui peut véritablement convenir à Zola. Tout se passe comme s'il ne se décidait pas à voir assez grand.

L'exemple de Balzac pourtant le tente, c'est maintenant l'écrivain qu'il admire le plus ; et il voudrait bien créer, lui aussi, sa *Comédie humaine*, mais il ne sait comment l'entreprendre. Certes, le modèle est là, mais il échappe encore à sa prise. Zola attend que l'occasion s'offre de s'en emparer, de le faire sien. Il n'ose pas y porter la main, de crainte peut-être qu'on ne l'accuse de copier trop servilement. C'est de la science, — qui elle aussi, quelques années auparavant, a tenté l'étudiant Zola, — que lui viendra l'illumination. L'écrivain se prend à rêver d'une synthèse qui, faisant d'une œuvre littéraire une œuvre scientifique, concilierait ses deux penchants, lui permettrait d'exprimer les deux vocations qu'il ressent en lui.

L'Introduction à l'étude de la médecine expérimentale, de Claude Bernard, sera la révélation qu'il attendait.

Il connaissait déjà les théories de Darwin sur l'évolution, le *Traité de l'hérédité naturelle*, du docteur Lucas, la *Philosophie de l'art*, de Taine ; mais l'ouvrage de Claude Bernard va décider de l'orientation définitive de son œuvre. Le but de Zola sera désormais d'introduire dans le roman une rigueur scientifique ne le cédant en rien aux travaux des savants. La littérature de la seconde moitié du dix-neuvième siècle doit devenir celle du roman expérimental, et son Claude Bernard sera Émile Zola.

Il faut en finir avec l'anarchie, pense-t-il naïvement.

Jusque-là les écrivains créaient au hasard de ce qu'ils appelaient l'inspiration, ne se souciant que de la qualité du livre auquel ils travaillaient. Ce désordre doit cesser. Les romanciers désormais ne seront plus des amuseurs. Quelques-uns sans doute ont échappé à ce travers, mais c'était sans le faire exprès. Balzac, Duranty, Flaubert, les frères Goncourt et, dans une certaine mesure, Stendhal, sont à peu près indemnes. Mais ce ne sont là que des exceptions, des cas fortuits. Il convient de ne pas s'y fier. Aussi longtemps que manque la méthode, on peut craindre le pire ; l'incohérence menace la littérature. Ce passé de gabegie doit prendre fin ; le savant dans son laboratoire, le romancier à son bureau, poursuivront le même but : la connaissance du réel. Ce que Claude Bernard a fait pour le corps, Émile Zola le fera pour les passions, pour les milieux sociaux ; il montrera que l'homme n'est pas un être autonome, un mystère individuel, le produit de hasards, mais l'aboutissement d'un ensemble de phénomènes, et qu'il suffit de bien étudier ceux-ci pour le comprendre et pour en faire une peinture exacte. Voici venu le règne du roman expérimental.

Zola a trente ans quand il conçoit le projet de son « *Histoire naturelle et sociale d'une famille sous le Second Empire* ». On est en 1870, la fièvre scientiste a gagné tout le monde, ou presque. Il n'est aucun miracle que les sciences ne puissent faire ; la condition humaine va connaître un essor inouï ; le progrès est là, sans limites. L'œil au microscope, on regarde naître le monde de l'avenir. Tout est réglé une fois pour toutes ; la médecine expérimentale, la théorie du milieu, l'évolution, l'hérédité, le matérialisme historique ont pris l'homme dans un réseau si serré qu'on n'imagine guère comment il en pourrait sortir.

L'assurance naturelle de Zola se double de celle que lui communique une époque aussi extraordinaire. Jamais sans doute personne n'a plus vivement éprouvé la conviction d'être venu à son heure, la certitude d'être le fils de son temps. Il l'est à un point inimaginable, et partage sans réserve cette confiance de son époque en la science, capable de résoudre tous les problèmes. C'est ainsi, pense-t-il, qu'il suffira au romancier expérimental de montrer les tares de la société pour que les hommes politiques puissent déterminer et appliquer les remèdes correspondants.

LES ROUGON-MACQUART

Histoire naturelle et sociale d'une famille sous le second Empire

I

LA FORTUNE DES ROUGON

PAR

ÉMILE ZOLA

PARIS

LIBRAIRIE INTERNATIONALE

A. LACROIX, VERBOECKHOVEN ET Cie, ÉDITEURS

15, boulevard Montmartre et faubourg Montmartre, 13

MÊME MAISON A BRUXELLES, A LEIPZIG ET A LIVOURNE

MDCCCLXXI

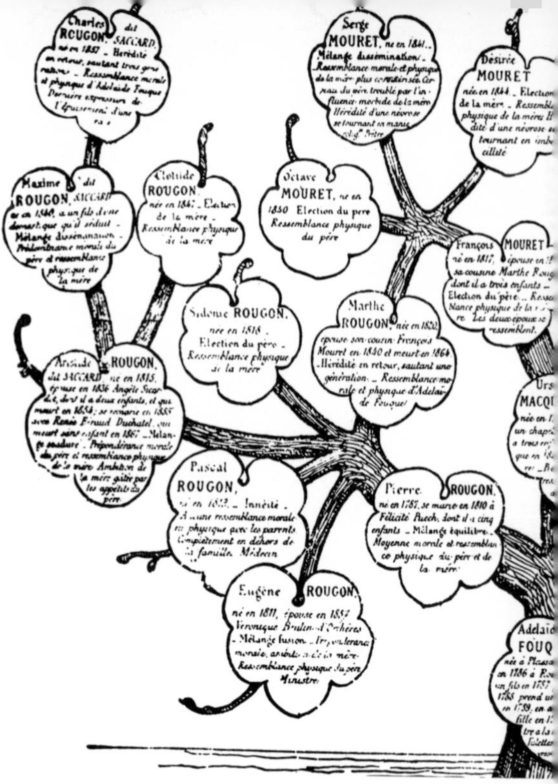

Claude Bernard, cependant, comme s'il avait pressenti l'utilisation primaire que l'on serait tenté de faire de ses théories, s'était par avance inscrit en faux contre une telle généralisation ; il avait nettement établi la différence qui lui paraissait opposer les œuvres scientifiques aux œuvres d'imagination, le monde objectif à cet univers de la littérature qui relève surtout de la subjectivité. Mais Zola ne s'y arrêta point.

Ne nous hâtons pas de sourire. N'avons-nous pas connu, il y a vingt-cinq ans, un égal enthousiasme chez les écrivains quand ils découvrirent la psychanalyse ? La candeur de Zola était de même nature, à cette différence près que cet esprit systématique a tenté d'aller jusqu'au bout de la théorie. Le miracle est que des idées qui nous apparaissent aujourd'hui si rudimentaires et, par bien des côtés, risibles, aient pu permettre à Zola d'écrire des chefs-

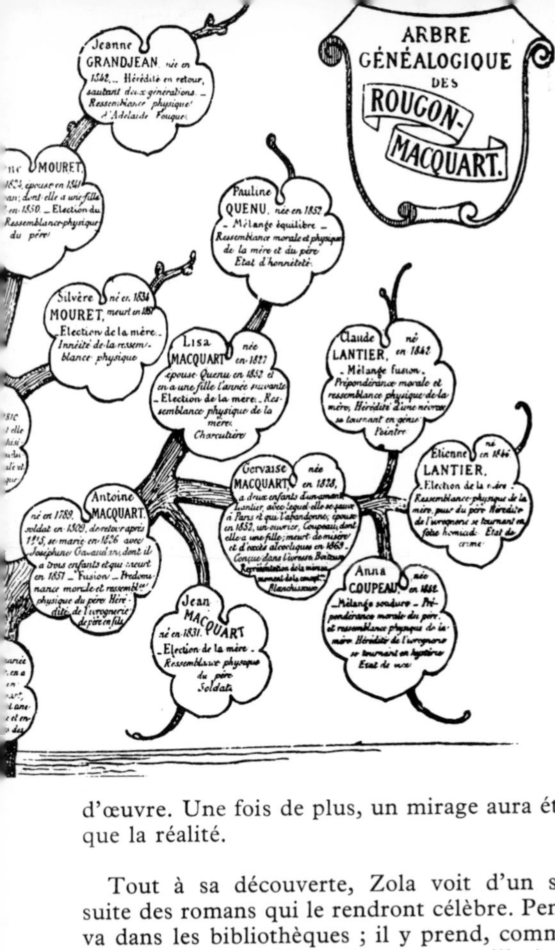

d'œuvre. Une fois de plus, un mirage aura été plus fécond que la réalité.

Tout à sa découverte, Zola voit d'un seul regard la suite des romans qui le rendront célèbre. Pendant un an, il va dans les bibliothèques ; il y prend, comme il dit, « *une forte teinture de philosophie* », et travaille à l'arbre généalogique des *Rougon-Macquart*, dont chaque rameau sera un livre. Il sent qu'il tient son grand œuvre.

Mais il ne suffit pas de le rêver, il faut l'écrire ; et ce travail de longue haleine exige de la tranquillité d'esprit. A qui s'adresser ? Lacroix ayant fait faillite, Zola va chez Charpentier et lui remet son projet. L'éditeur demande deux jours de réflexion, puis accepte. La confiance du jeune écrivain en lui-même fait une fois de plus ses preuves ; rien ne lui résiste. Car ce n'est pas un mince engagement que celui auquel souscrit Charpentier : il versera à son nouvel auteur cinq cents francs par mois, et cela pendant des années. Or Zola n'est pas encore parvenu à atteindre le grand public, et rien ne permet d'assurer que son audience deviendra beaucoup plus vaste. Mais Charpentier avait du flair, et il devait aimer le risque.

Tranquille du côté matériel, Zola n'avait plus qu'à se mettre au travail ; on imagine avec quel élan cet homme qui voulait « *manger des montagnes* » se jette dans l'entreprise. Pour la première fois, il n'a d'autre souci que de créer ; un emploi du temps lui semble nécessaire pour mener à bien son projet : il se lèvera à huit heures, se promènera durant une heure si le temps le permet, puis, de neuf heures jusqu'à une heure de l'après-midi, il écrira chaque jour le même nombre de pages.

Travailler à heures fixes, quelle que soit l'humeur, ne peut pas ne pas entraîner un déchet énorme ; c'est se refuser à tout esprit critique, c'est admettre que la production quotidienne est constamment bonne. Conception tout occidentale de l'œuvre d'art, en complète opposition avec celle de ce peintre chinois du XVe siècle qui avait inscrit dans un coin de son kakémono : « J'ai mis dix ans à faire ce paysage, mais je n'y ai consacré que mes instants de bonheur. »

La platitude, donc, n'effraie pas Zola ; du même geste il pousse devant lui le meilleur et le pire, et le travail du matin s'ajoute à celui de la veille, le bon épaulant le médiocre, comme si chaque page n'était qu'une distance à franchir.

La seule perturbation dans son travail sera due à la guerre. La littérature alors compte peu. Zola se réfugie à Bordeaux, et peut-être sait-on qu'il y faillit devenir préfet. Le Gouvernement de la Défense Nationale l'avait nommé sous-préfet de Castelsarrasin, mais Gambetta ne ratifia pas la nomination. Le 29 septembre 1870, Zola écrit à Valabrègue :

L'on me promet une préfecture pour le prochain mouvement préfectoral. Je verrai alors ce que j'aurai à faire.

Précisément il a mieux à faire, et il ne tarde pas à rentrer à Paris. Bien entendu, sa sérénité scientifique n'est pas parfaite. Pour chacun de ses romans les heures de tourment l'emporteront sur les heures de joie. Zola n'est rassuré, allégé que lorsqu'il vient d'écrire la dernière ligne. Alors il respire, se détend, envoie un bulletin de victoire à ses amis, à son éditeur. Trêve illusoire, le futur roman est là, avec de neuves exigences. De l'un à l'autre, à peine le temps de souffler, de se remettre à la chasse aux documents, aussitôt le travail reprend, que ce soit à Paris, à Médan ou au bord de la mer. Et pour mieux se souvenir de sa résolution, Émile Zola fait inscrire en lettres d'or sur le manteau de sa cheminée de Médan, en face de son bureau : *Nulla dies sine linea.* Jamais promesse ne fut mieux tenue.

Dans son discours aux étudiants, prononcé peu de temps avant sa mort, Zola dira que le travail a été sa seule raison de vivre, que c'est en lui qu'il a trouvé toute sa joie. Il écrit comme un fleuve monte et noie peu à peu tous les obstacles qu'il rencontre. Il n'a ni le génie de Hugo, ni une langue aussi pure. Chaque page des *Misérables* est toute éclairée d'une poésie qui magnifie tout ; éclairé de la sorte le moindre détail prend une allure de joyau. Émile Zola est d'une nature pauvre, son outil est grossier, les incorrections de langage abondent dans ses livres ; mais il se sauvera à sa manière, sa puissance suppléera à tous ses manques, l'ampleur de sa vision fera oublier ses imperfections. Il a cette vertu cardinale : la force.

Deux géants l'ont précédé ; Hugo et Balzac couvrent de leur ombre la littérature française du XIXe siècle. La *Comédie Humaine* a tout montré d'une société qui, en une trentaine d'années, n'a pu tellement changer. Les Rastignac, les Rubempré, les Vautrin, les Père Goriot sont encore dans les salons, les boutiques, les bas-fonds. Balzac a tout recensé, tout exploré ; il semble n'avoir laissé à ses successeurs que la possibilité de simples redites. Certes, il suffirait à Zola de voir le monde avec d'autres yeux pour faire œuvre neuve, mais son regard est très semblable à celui de Balzac. L'auteur de *Thérèse Raquin* est lui aussi un enquêteur, lui aussi brûle de faire un inventaire qui couvre la société entière. Mieux, c'est pour lui une nécessité, car une certaine profondeur — celle où évolue avec tant d'aisance un Dostoïevski — lui est interdite. D'autre part, il ne saurait se mesurer au créateur de la *Comédie Humaine* dans la connaissance des passions. Il le tente pourtant, mais avec l'angoisse d'avoir devant lui un modèle trop haut.

Les Misérables, d'autre part, ont été publiés dix ans avant le premier volume des *Rougon-Macquart*. Et ce livre se dresse ainsi qu'une construction énorme, avec sa double barricade, ses foules d'émeutiers, le cheminement de Valjean dans le réseau des égouts, qui atteint à l'épopée, ses mille aspects des rues de Paris, ses personnages sculptés à larges coups, avec une poigne d'une puissance inouïe, et qui, par une transmutation du génie, gagnent en valeur symbolique ce qu'ils perdent en nuances.

C'est entre ces deux écrivains, sans cesse présents à son esprit, qu'Émile Zola doit se frayer un passage. Faire du neuf, révolutionner la littérature, se hausser au plan de ses illustres prédécesseurs, tels sont donc les buts que s'assigne expressément Zola en entreprenant sa série des *Rougon-Macquart*. Le salut est au bout, l'œuvre se dresse et brille au loin, une œuvre qui ne saurait jaillir de l'éclat d'un éblouissement, dans la fièvre de jours inspirés, mais qui devra être conquise heure après heure. C'est à trente ans que Zola se met à la tâche, on comprend qu'il n'ait pas de temps à perdre.

Les deux premiers volumes paraissent en 1871 : *La Fortune des Rougon* et *La Curée*. Dès la publication du second la bataille commence. Un grand nombre de lettres de dénonciation sont adressées au Procureur de la République.

Le roman paraissant alors en feuilleton dans « La Cloche », Zola propose au directeur du journal d'arrêter la publication. Mais il se justifie en ces termes :

La Curée *n'est pas une œuvre isolée, elle tient à un grand ensemble, elle n'est qu'une phrase musicale de la vaste symphonie que je rêve. Je veux écrire l'* « *Histoire naturelle et sociale d'une famille, sous le Second Empire* ». *Le premier épisode,* La Fortune des Rougon, *qui vient de paraître en volume, raconte le coup d'État, le viol brutal de la France. Les autres épisodes seront des tableaux de mœurs pris dans tous les mondes, racontant la politique du règne, ses finances, ses tribunaux, ses casernes, ses églises, ses institutions de corruption publique. Je tiens à constater, d'ailleurs, que le premier épisode a été publié par* Le Siècle *sous l'Empire, et que je ne me doutais guère alors d'être un jour entravé dans mon œuvre par un procureur de la République. Pendant trois années, j'avais rassemblé des documents, et ce qui dominait, ce que je trouvais sans cesse devant moi, c'étaient les faits orduriers, les aventures incroyables de honte et de folie, l'argent volé et les femmes vendues. Cette note de l'or et de la chair, cette note du ruissellement des millions et du bruit grandissant des orgies, sonnait si haut et si continuellement, que je me décidai à la donner. J'écrivis* La Curée. *Devais-je me taire, pouvais-je laisser dans l'ombre cet éclat de débauche qui éclaire le Second Empire d'un jour suspect de mauvais lieu ? L'histoire que je veux écrire en serait obscure.*

Le directeur en question, Louis Ulbach, s'est néanmoins rallié au jugement de ses lecteurs ; il déclare qu'il trouve Zola obscène. Que de fois le romancier s'entendra accuser d'obscénité ! Il finira par hausser les épaules, mais pour le moment il réagit avec indignation. Le 9 septembre 1872, il écrit :

Ah ! mon cher Ulbach, que je me tiens à quatre pour ne pas répondre avec toute ma colère d'artiste à la lettre que vous avez écrite à Guérin, et que Guérin me communique ! « Obscène » ! Toujours le même mot donc ! Je le rencontre sous votre plume d'écrivain, comme je l'ai entendu dans la bouche de M. Prudhomme. Vous n'avez pas trouvé un autre mot pour me juger, et c'est ce qui me fait croire que ce gros mot ne vient pas de vous, et que vous l'avez laissé fourrer dans votre poche dans quelque cabinet officiel, pour me l'apporter tout chaud sous le nez.

Oh ! ce mot ! Si vous saviez comme il me paraît bête. Excusez-moi, mais je vous parle en confrère, et non en rédacteur. Heureusement qu'il ne me fâche plus, depuis que je l'ai entendu dans la bouche des procureurs impériaux. Non, vous ne m'avez pas blessé, bien qu' « obscène » soit terriblement gros. Je vais brûler votre lettre, pour que la postérité ignore cette querelle. Je sais que vous retirerez cet « obscène », quand les dames ne vous monteront plus la tête contre moi.

Cette accusation d'obscénité hante Zola. Quelques années plus tard, dans son essai intitulé *De la moralité dans la littérature,* il s'en défend de la sorte :

Pour moi, la question du talent tranche tout, en littérature. Je ne sais pas ce qu'on entend par un écrivain moral et un écrivain immoral ; mais je sais très bien ce qu'est un auteur qui a du talent et un auteur qui n'en a pas. Et, dès qu'un auteur a du talent, j'estime que tout lui est permis. L'histoire est là. Nous avons tout permis à Rabelais en France, comme on a tout permis à Shakespeare en Angleterre. Une page bien écrite a sa moralité propre, qui est dans sa beauté, dans l'intensité de sa vie et de son accent. C'est imbécile de vouloir la plier à des conventions mondaines, à une vertu de convention et de mode. Pour moi, il n'y a d'œuvres obscènes que les œuvres mal pensées et mal exécutées.

Et, plus loin :

Comme je l'ai dit, nos œuvres sont trop noires, trop cruelles surtout, pour chatouiller le public au bon endroit et lui faire plaisir. Elles révoltent, elles ne séduisent pas. Si quelques-unes arrivent à une large vente, le plus grand nombre laisse la foule des acheteurs inquiète et indignée. Aussi les débutants qui, par calcul, se lanceraient dans la peinture de l'infamie humaine éprouveraient-ils bientôt de terribles mécomptes. D'abord, ils comprendraient que la sincérité y est nécessaire ; il faut aimer la vérité et avoir beaucoup de talent, pour oser la peindre toute nue, sans tomber dans l'ignoble et l'odieux. Ensuite, ils s'apercevraient qu'une hypocrisie réelle mène plus directement à la fortune qu'une brutalité affectée. L'hypocrisie est choyée, payée grassement ; tandis que la brutalité a contre elle la masse énorme des gens que gêne la franchise. Si cette brutalité, si cette audace de tout dire n'est pas dans le tempérament de l'écrivain, cela paraît bien vite, la spéculation devient évidente et l'écrivain spéculateur tombe presque immédiatement dans un juste mépris. Je veux dire, en somme, que la spéculation du mensonge ne présente pas de danger, la foule étant toujours là pour approuver et s'attendrir ; lorsque la spéculation du vrai, au contraire, est un casse-cou dans lequel un auteur vénal finit toujours par se rompre les os. Voilà comme quoi, si aucun tempérament ne les pousse, les habiles ont raison de travailler dans la vertu plutôt que dans le vice.

De 1871 à 1876, Émile Zola publie six volumes : *La Fortune des Rougon, La Curée, Le Ventre de Paris, La Conquête de Plassans, La Faute de l'abbé Mouret, Son Excellence Eugène Rougon.* Il a maintenant trente-six ans. Sa puissance de travail étonne, l'ampleur de son ambition aussi ; la critique accueille avec intérêt ses romans ; on les discute, encore que les théories de son auteur fassent sourire, mais le succès ne s'affirme pas. Victor Hugo peut dédaigner les attaques du chef de l'école naturaliste, il continue à dominer de haut son époque ; sa suprématie n'est encore mise en doute par personne.

A l'égard de ses amis, Zola reste fidèle à l'esprit d'équipe dont il témoignait dès sa jeunesse. Parmi ses contemporains il a choisi son maître : Flaubert ; il s'est lié d'amitié avec Edmond de Goncourt et Alphonse Daudet. Le groupe déjeune parfois au restaurant. Émile Zola mange bien, car il est gourmand, mais il parle peu et mal, sauf lorsqu'il prend feu pour un sujet qui lui tient à cœur, ou quand on l'interroge sur le livre qu'il a en chantier. Ses amis non plus ne prennent guère au sérieux sa théorie du roman expérimental, des lois de l'hérédité appliquées au roman ; ils en rient sous cape, la naïveté de Zola les amuse, les désarme. Mais ce compagnon si actif, qui remplit les journaux de ses articles, jusque dans la lointaine Russie, et dont la force de polémique et le courage ne sont mis en doute par personne, représente une puissance à ménager.

Il est une phrase qu'on aime l'entendre dire, et que le malicieux Daudet s'ingénie à lui faire répéter : « Je suis un chaste ». A quoi le petit défaut de langue ajoute un surcroît de drôlerie. Ces taquineries ne retirent rien à l'estime que ses amis ont pour Zola, dont l'œuvre commence tout de même à les surprendre par son ampleur.

L'auteur des *Rougon-Macquart* met à profit ces repas pour obtenir des renseignements sur des milieux qu'il connaît mal. Il n'est jamais allé dans le monde ; la haute bourgeoisie, l'aristocratie lui sont étrangères ; il s'efforce de suppléer à son ignorance par les confidences de Flaubert, qui a approché la cour impériale, ainsi que de Goncourt et Daudet. Sans doute se rappelle-t-il que Balzac ne procédait pas autrement.

De plus, ces auteurs se sentent profondément solidaires ; ils appartiennent tous, bon gré mal gré, et à des titres divers, à l'école naturaliste. Le peintre Courbet a lancé l'expression *naturalisme* et l'opinion publique s'en sert pour désigner des écrivains de tempéraments aussi différents que Flaubert, Goncourt, Daudet et Zola ; ensemble, ils forment un groupe que l'on hait, que l'on redoute, que l'on envie. Et chacun d'eux a conscience des avantages que lui procure cette solidarité. Là encore, la puissante personnalité de Zola, sa passion pour la lutte et la polémique, ont considérablement aidé à la formation de l'équipe.

L'ASSOMMOIR A L'AMBIGU — GIL-NAZA PAR GILL

COUPEAU (GIL-NAZA), *qui s'est déjà payé le* delirium tremens, *et n'a pas envie de recommencer.* — Pourquoi me laisse-t-on seul avec cette bouteille ?... Je n'en veux pas !... je n'en veux pas !...

L'ASSOMMOIR.

Dès le 14 août 1875, Zola fait part à son éditeur Charpentier de son projet d'écrire un nouveau roman, dont il n'a pas encore fixé le titre, et qui sera *L'Assommoir*. C'est à Saint-Aubin, rêvant devant une fenêtre qui s'ouvre sur l'océan, que Zola pressent l'importance de cette œuvre qui va le rendre célèbre.

Il faut pourtant, mon cher ami, que je vous donne de mes nouvelles. Ce n'est pas paresse, je vous assure. Je travaille beaucoup, je suis surpris moi-même de ma sagesse à rester devant le bureau improvisé que j'ai installé auprès d'une fenêtre. Il faut dire que j'ai la pleine mer devant moi. Les bateaux me dérangent bien un peu. Je reste des quarts d'heure à suivre les voiles, la plume tombée des doigts. Mais je fais chaque jour ma correspondance de Marseille, j'écris une grande étude sur les Goncourt pour la Russie, j'échafaude même mon prochain roman, ce roman sur le peuple que je rêve extraordinaire.

L'Assommoir paraît en feuilleton durant l'automne 1876, et déjà Zola se voit adresser, par Albert Millaud, les critiques mêmes qui reviendront sans cesse à propos de ce livre. Elles provoquent de sa part cette réponse :

*Vous me traitez d'*écrivain démocratique et quelque peu socialiste, *et vous vous étonnez de ce que je peins une certaine classe ouvrière sous des couleurs vraies et attristantes.*

D'abord, je n'accepte pas l'étiquette que vous me collez dans le dos. J'entends être un romancier tout court, sans épithète ; si vous tenez à me qualifier, dites que je suis un romancier naturaliste, ce qui ne me chagrinera pas. Mes opinions politiques ne sont pas en cause, et le journaliste que

◀ *Caricature d'André Gill, dans* La Lune rousse.

Gervaise attendant Lantier
1

La Bataille de Gervaise et de Virginie
2

Coupeau et Gervaise à l'assommoir
3

Repas de noce de Coupeau et de Gervaise

L'accident de Coupeau

[illegible] de Goujet et [illegible]

La fête de Gervaise
7

Gervaise et Lantier trouvant Coupeau ivre-mort
8

Gervaise venant chercher Coupeau à l'assommoir
9

Gervaise chez Goujet
10

Delirium trémens de Coupeau
11

Mort de Gervaise
12

je puis être n'a rien à démêler avec le romancier que je suis. Il faudrait lire mes romans, les lire sans prévention, les comprendre et voir nettement leur ensemble, avant de porter les jugements tout faits, grotesques et odieux, qui circulent sur ma personne et sur mes œuvres. Ah ! si vous saviez comme mes amis s'égayent de la légende stupéfiante dont on régale la foule, chaque fois que mon nom paraît dans un journal ! Si vous saviez combien le buveur de sang, le romancier féroce, est un honnête bourgeois, un homme d'étude et d'art, vivant sagement dans son coin, tout entier à ses convictions ! Je ne démens aucun conte, je travaille, je laisse au temps et à la bonne foi publique le soin de me découvrir enfin sous l'amas des sottises entassées.

Quant à ma peinture d'une certaine classe ouvrière, elle est telle que je l'ai voulue, sans une ombre, sans un adoucissement. Je dis ce que je vois, je verbalise simplement, et je laisse aux moralistes le soin de tirer la leçon. J'ai mis à nu les plaies d'en haut, je n'irai certes pas cacher les plaies d'en bas. Mon œuvre n'est pas une œuvre de parti et de propagande ; elle est une œuvre de vérité.

1877, date de la parution en volume, est l'année qui va décider du succès. Le retentissement du livre est tel que Zola devient l'écrivain français le plus célèbre ; quelques semaines suffisent à rendre son nom populaire. Pour la première fois depuis près d'un demi-siècle, Hugo passe au second plan ; un écrivain de trente-sept ans l'emporte sur le vieux poète. Le bruit qu'avait fait *Les Misérables*, dix ans plus tôt, est dépassé.

En choisissant, le premier, de prendre les personnages d'un roman parmi les ouvriers, Zola surprenait grandement ses lecteurs. Ce prolétariat, que les progrès du machinisme accroissaient chaque jour, demeurait encore sans visage et sans voix ; des villes industrielles jaillissaient du sol, l'artisanat s'anéantissait dans l'armée anonyme des fabriques et des usines, mais les écrivains regardaient ailleurs ; l'alcôve, les discussions d'argent, l'ambition, les crimes passionnels retenaient à peu près seuls leur attention.

Zola est le premier à regarder ce qui vient. Il est de son époque, et parfois jusqu'à la naïveté, mais il en émerge pourtant mieux que quiconque : il voit plus loin qu'elle. Cet univers noir, retentissant du nouveau tumulte des temps modernes, cet aspect apocalyptique de l'industrialisation du monde le passionnent. En deux volumes, il dénonce l'une des tares des milieux ouvriers d'alors : l'alcoolisme. Et pour la première fois le romancier donne la pleine mesure de sa force. La couleur, la densité de l'œuvre sont admirables ; l'envoûtement est total ; le noir atteint à des profondeurs d'eau-forte, avec au centre une seule lumière, mais diabolique, celle du brûleur d'alcool.

La déchéance de Gervaise, le quartier où elle vit, les paysages de Paris vus des hauteurs de Montmartre et les buveurs grouillants autour des comptoirs, la veulerie qui, au forgeron près, finit par gagner tous les autres, — cette peinture de l'enfer est grandiose.

L'Assommoir est le prototype, le chef-d'œuvre inégalé du roman noir. L'horizon est bouché, les rues sont décrites surtout à la nuit ; il n'y a jamais de soleil, ou presque ; point de rayons, pas même ceux qui trouent les ombres des gravures de Rembrandt ; tout est bitumeux, d'une laideur poignante. Toujours les personnages se vident de ce qui faisait d'eux des êtres humains ; la veulerie les prive de toute humanité, c'est le ruisseau qui les attend. Avec une cruauté qui ne se relâche jamais, Zola s'acharne sur son héroïne, Gervaise, et ne l'abandonne que morte, après nous l'avoir montrée dans sa robe boueuse, en savates, essayant vainement de se prostituer.

Et pourtant, de cette masse d'horreurs naît une beauté étrange ; la force d'une telle peinture a quelque chose d'hallucinant. On s'étonne qu'un homme ait eu le courage d'écrire un tel livre, de mener son entreprise jusqu'au bout, sans une défaillance, et qu'il ait trouvé des couleurs assez puissantes pour un pareil tableau.

On sait combien Zola s'est passionné pour la peinture, à quel point son jugement s'est révélé juste, à une exception près, celle de son ami d'enfance, Cézanne, que paradoxalement il n'a pas comprise. A dire vrai, cette incompréhension n'est singulière qu'en apparence, car jamais deux hommes ne furent plus éloignés l'un de l'autre. Pour Cézanne, la réalité n'est que le reflet d'une vérité plus complexe dont nous ne saisissons que l'image, et si le peintre s'acharne à l'interpréter aussi fidèlement que possible, son âme est ailleurs. Il croit à une vérité transcendante, surnaturelle, alors que pour son ami Zola il n'en est pas d'autre que celle qu'il peut observer. Si tous deux sont d'accord pour exprimer « la réalité », le sens qu'ils lui donnent est absolument opposé. Rien d'étonnant donc si le différend devait s'aggraver entre eux jusqu'à la rupture. C'est une mésentente du même ordre qui séparera Huysmans de Zola.

Mais, à cette erreur près, la plupart des autres peintres que Zola a été l'un des premiers à défendre — et avec quelle passion ! — sont ceux que nous reconnaissons aujourd'hui parmi les plus grands de leur époque.

Ce goût de la peinture, on le perçoit dans chacune des pages de *L'Assommoir*. Zola écrit comme il peindrait, on dirait un peintre manqué.

On sait de reste que les écrivains, sous le prétexte de corriger les mœurs, s'en donnent volontiers à cœur-joie dans la bile et l'érotisme ; ceux d'à présent ne se réclament plus de la morale, mais ils parlent eux aussi au nom de la vérité, que les uns, reprenant les termes de Zola, nomment « la part sauvage de l'homme », les autres « l'homme total ». Nous sommes aujourd'hui encore en plein roman expérimental ; à quelques rares exceptions près, nous demeurons dans la lignée de l'école naturaliste. Jamais romancier n'aura eu descendance plus nombreuse : tout ce qui compte dans le roman doit quelque chose à Zola.

Renchérissant sur Balzac, il a, avec *L'Assommoir*, conduit la littérature à un degré de noirceur insurpassable, et c'est vainement que ses successeurs tenteront de faire mieux : l'épaisseur des ténèbres est telle ici qu'on ne saurait y ajouter. Depuis *L'Enfer*, et quelques drames shakespeariens, nul n'avait osé entrer si avant dans l'horreur que peut inspirer la condition humaine.

La misère, dans ce livre, vient plus de la veulerie que de la condition faite à ceux qui la subissent ; chacun des personnages porte au plus secret de lui-même une semence de malheur d'une effrayante vitalité. Le mal est dans l'être, les circonstances comptent peu ; il suffit de ne point résister pour se trouver entraîné au plus bas. La parlote du lundi matin devant le zinc du bistrot, la boîte à outils qui glisse de l'épaule sur le carreau, l'heure qui passe, le sentiment qu'on se laisse aller à l'irréparable, le goût de la chute, c'est ce que Zola a su exprimer avec une justesse de ton admirable.

Il suffirait d'un rayon de lumière dans un coin du tableau pour que nous ayons une œuvre chrétienne ; mais la grâce est bannie de l'œuvre de Zola plus rigoureusement encore que de celle de Balzac. L'homme est seul, sans recours, sans espérance, sans péché, errant dans les ténèbres, n'appelant même pas, réduit à la seule animalité, traversant la vie sans lever le front, comme une bête qui marche à la mort. Et comme Zola est incapable de toute réflexion métaphysique, il ne sait mettre en contre-partie à cette vision de l'enfer, quand on l'accuse de donner de l'homme une image désespérée, que le refrain contre les taudis.

On ne peut pas dire que sa psychologie soit à courte vue, puisqu'il sait nous montrer avec une telle vérité les sentiments et les caractères de ces malheureux ; mais les conclusions qu'il tire de son œuvre sont rudimentaires. La main l'emporte sur la tête, le don sur la réflexion. La prétention naïve de faire œuvre scientifique empêche Émile Zola de voir au delà ; cet homme total qu'il revendique, il en laisse échapper le plus précieux, n'en garde que l'élémentaire. La classe sociale, l'habitat, cette réponse lui suffit. Les romans de Zola sont pleins de possédés, eux aussi, mais l'hérédité, la sociologie lui semblent être des explications suffisantes. Tout se passe comme si ses dons psychologiques s'exténuaient dès qu'il abandonne ses personnages pour juger son œuvre.

Les plus indignés quand parut *L'Assommoir* furent les ouvriers, cependant que les milieux bourgeois étaient ravis. Les premiers refusaient de se reconnaître dans un portrait qui leur paraissait à la fois ignoble et faux ; les seconds se précipitaient sur cette occasion de mépriser ceux qu'ils commençaient à redouter.

C'est que Zola n'a rien d'un démagogue, il n'atténue aucune tare, il les souligne plutôt, sans se soucier de savoir ce qu'en pensera le modèle.

Voici la scène où Coupeau, sous l'influence de Lantier, commence à manquer son travail. Désormais sa chute ira s'accélérant.

Coupeau hésita un instant ; et, paisiblement, comme s'il s'était décidé après de mûres réflexions, il posa son sac par terre, en disant :

— Il est trop tard, à cette heure. J'irai chez Bourguignon après le déjeuner. Je dirai que ma bourgeoise a eu des coliques... Écoutez, père Colombe, je laisse mes outils sous cette banquette je les reprendrai à midi.

Lantier, d'un hochement de tête, approuva cet arrangement.

On doit travailler, ça ne fait pas un doute ; seulement, quand on se trouve avec des amis, la politesse passe avant tout. Un désir de godaille les avait peu à peu chatouillés et engourdis tous les quatre, les mains lourdes, se tâtant du regard. Et, dès qu'ils eurent cinq heures de flâne devant eux, ils furent pris brusquement d'une joie bruyante, ils s'allongèrent des claques, se gueulèrent des mots de tendresse dans la figure. Coupeau surtout, soulagé, rajeuni, qui appelait les autres « ma vieille branche ». On se mouilla encore d'une tournée générale, puis on alla à la Puce qui renifle, *un petit bousingot où il y avait un billard. Le chapelier fit un instant son nez parce que c'était une maison pas très propre : le schnick y valait un franc le litre, dix sous une chopine en deux verres, et la société de l'endroit avait commis tant de saletés sur le billard, que les billes y restaient collées. Mais, la partie une fois engagée, Lantier, qui avait un coup de queue extraordinaire, retrouva sa grâce et sa belle humeur, développant son torse, accompagnant d'un effet de hanches chaque carambolage.*

Lorsque vint l'heure du déjeuner, Coupeau eut une idée. Il tapa des pieds, en criant :

— Faut aller prendre Bec-Salé. Je sais où il travaille... Nous l'emmènerons manger des pieds à la poulette chez la mère Louis.

L'idée fut acclamée. Oui, Bec-Salé, dit Boit-sans-Soif, devait avoir besoin de manger des pieds à la poulette. Ils partirent.

Les rues étaient jaunes, une petite pluie tombait, mais ils avaient déjà trop chaud à l'intérieur pour sentir ce léger arrosage sur leurs abatis. Coupeau les mena rue Marcadet, à la fabrique de boulons. Comme ils arrivaient une grosse demi-heure avant la sortie, le zingueur donna deux sous à un gamin pour entrer dire à Bec-Salé que sa bourgeoise se trouvait mal et le demandait tout de suite. Le forgeron parut aussitôt, en se dandinant, l'air bien calme, le nez flairant un gueuleton.

— Ah ! les cheulards ! dit-il, dès qu'il les aperçut cachés sous une porte. J'ai senti ça... Hein ? qu'est-ce qu'on mange ?

Chez la mère Louis, tout en suçant les petits os des pieds, on tapa de nouveau sur les patrons. Bec-Salé, dit Boit-sans-Soif, racontait qu'il y avait une commande pressée dans sa boîte. Oh ! le singe était coulant, pour le quart d'heure ; on pouvait manquer à l'appel, il restait gentil, il devait s'estimer encore bien heureux quand on revenait. D'abord, il n'y avait pas de danger que le patron osât jamais flanquer à la porte Bec-Salé dit Boit-Sans-Soif, parce qu'on n'en trouvait plus, des cadets de sa capacité. Après les pieds, on mangea une omelette. Chacun but son litre. La mère Louis faisait venir son vin de l'Auvergne, un vin couleur de sang qu'on aurait coupé au couteau. Ça commençait à être drôle, la bordée s'allumait.

— Qu'est-ce qu'il a, à m'emmoutarder, cet encloué de singe ? cria Bec-Salé au dessert. Est-ce qu'il ne vient pas d'avoir l'idée d'accrocher une cloche dans sa baraque ? Une cloche, c'est bon pour des esclaves... Ah bien ! elle peut sonner, aujourd'hui ! Du tonnerre si l'on me repince à l'enclume ! Voilà cinq jours que je me la foule, je puis bien le balancer... S'il me fiche un abatage, je l'envoie à Chaillot.

— Moi, dit Coupeau d'un air important, je suis obligé de vous lâcher, je vais travailler. Oui, j'ai juré à ma femme... Amusez-vous, je reste de cœur avec les camarades, vous savez.

Les autres blaguaient. Mais lui, semblait si décidé, que tous l'accompagnèrent, quand il parla d'aller chercher ses outils chez le père Colombe. Il prit son sac sous la banquette, le posa devant lui, pendant qu'on buvait une dernière goutte. A une heure, la société s'offrait encore des tournées. Alors, Coupeau, d'un geste d'ennui, reporta les outils sous la banquette ; ils le gênaient, il ne pouvait pas s'approcher du comptoir sans butter dedans. C'était trop bête, il irait le lendemain chez Bourguignon.

Gervaise, un soir de paie, est allée attendre son mari à la porte de « L'Assommoir ». Voyant qu'il ne se décidait pas à sortir, elle est entrée le rejoindre, et pour la première fois elle se met à boire.

— Ah bien ! merci, cria Coupeau qui retourna le verre d'anisette vidé par sa femme, tu vous pompes joliment ça ! Voyez donc ! la coterie, ça ne lanterne guère.

— Madame redouble ? demanda Bec-Salé, dit Boit-sans-Soif.

Non, elle en avait assez. Elle hésitait pourtant. L'anisette lui barbouillait le cœur. Elle aurait plutôt pris quelque chose de raide pour se guérir l'estomac. Et elle jetait des regards obliques sur la machine à soûler, derrière elle. Cette sacrée marmite, ronde comme un ventre de chaudronnière grasse, avec son nez qui s'allongeait et se tortillait, lui soufflait un frisson dans les épaules, une peur mêlée de désir. Oui, on aurait dit la fressure de métal d'une grande gueuse, de quelque sorcière qui lâchait goutte à goutte le feu de ses entrailles. Une jolie source de poison, une opération qu'on aurait dû enterrer dans une cave, tant elle était effrontée et abominable ! Mais ça n'empêchait pas, elle aurait voulu mettre son nez là-dedans, renifler l'odeur, goûter à la cochonnerie, quand même sa langue brûlée aurait dû en peler du coup comme une orange.

— Qu'est-ce que vous buvez donc là ? demanda-t-elle sournoisement aux hommes, l'œil allumé par la belle couleur d'or de leurs verres.

— Ça, ma vieille, répondit Coupeau, c'est le camphre du papa Colombe... Fais pas la bête, n'est-ce pas ? On va t'y faire goûter.

Et lorsqu'on lui eut apporté un verre de vitriol, et que sa mâchoire se contracta, à la première gorgée, le zingueur reprit, en se tapant sur les cuisses :

— Hein ! ça te rabote le sifflet !... Avale d'une lampée. Chaque tournée retire un écu de six francs de la poche du médecin.

Au deuxième verre, Gervaise ne sentit plus la faim qui la tourmentait. Maintenant, elle était raccommodée avec Coupeau, elle ne lui en voulait plus de son manque de parole. Ils iraient au cirque une autre fois ; ce n'était pas si drôle, des faiseurs de tours qui galopaient sur des chevaux. Il ne pleuvait pas chez le père Colombe, et si la paie fondait dans le fil-en-quatre, on se la mettait sur le torse au moins, on la buvait limpide et luisante comme du bel or liquide. Ah ! elle envoyait joliment flûter le monde ! La vie ne lui offrait pas tant de plaisirs ; d'ailleurs, ça lui semblait une consolation d'être de moitié dans le nettoyage de la monnaie. Puisqu'elle était bien, pourquoi donc ne serait-elle pas restée? On pouvait tirer le canon, elle n'aimait plus bouger, quand elle avait fait son tas. Elle mijotait dans une bonne chaleur, son corsage collé à son dos, envahie d'un bien-être qui lui engourdissait les membres. Elle rigolait toute seule, les coudes sur la table, les yeux perdus, très amusée par deux clients, un gros mastoc et un nabot, à une table voisine, en train de s'embrasser comme du pain, tant ils étaient gris. Oui, elle riait à l'Assommoir, à la pleine lune du père Colombe, une vraie vessie de saindoux, aux consommateurs fumant leur brûle-gueule, criant et crachant, aux grandes flammes du gaz qui allumaient les glaces et les bouteilles de liqueur. L'odeur ne la gênait plus ; au contraire, elle avait des chatouilles plein le nez, elle trouvait que ça sentait bon ; ses paupières se fermaient un peu, tandis qu'elle respirait très court, sans étouffement, goûtant la jouissance du lent sommeil dont elle était prise. Puis, après son troisième petit verre, elle laissa tomber son menton sur ses mains, elle ne vit plus que Coupeau et les camarades ; et elle demeura nez à nez avec eux, tout près, les joues chauffées par leur haleine, regardant leurs barbes sales, comme si elle en avait compté les poils. Ils étaient très soûls, à cette heure. Mes-Bottes bavait, la pipe aux dents, de l'air muet et grave d'un bœuf assoupi. Bibi-la-Grillade racontait une histoire, la façon dont il vidait un litre d'un trait, en lui fichant un tel baiser à la régalade, qu'on lui voyait le derrière. Cependant, Bec-Salé, dit Boit-sans-Soif, était allé chercher le tourniquet sur le comptoir et jouait des consommations avec Coupeau.

Et voici Gervaise au dernier degré de sa déchéance. A demi-morte de faim, abandonnée par son mari, elle va essayer de se prostituer.

Plantée devant l'Assommoir, Gervaise songeait. Si elle avait eu deux sous, elle serait entrée boire la goutte. Peut-être qu'une goutte lui aurait coupé la faim. Ah ! qu'elle en avait bu des gouttes ! Ça lui semblait bon tout de même. Et, de loin, elle contemplait la machine à soûler, en sentant que son malheur venait de là, et en faisant le rêve de s'achever avec de l'eau-de-vie, le jour où elle aurait de quoi. Mais un frisson lui passa dans les cheveux, elle vit que la nuit était noire. Allons, la bonne heure arrivait. C'était l'instant d'avoir du cœur et de se montrer gentille, si elle ne voulait pas crever au milieu de l'allégresse générale. D'autant plus que de voir les autres bâfrer ne lui remplissait pas précisément le ventre. Elle ralentit encore le pas, regarda autour d'elle. Sous les arbres, traînait une ombre plus épaisse. Il passait peu de monde, des gens pressés, traversant vivement le boulevard. Et, sur ce large trottoir, sombre et désert, où venaient mourir les gaietés des chaussées voisines, des femmes, debout, attendaient. Elles restaient de longs moments immobiles, patientes, raidies comme les petits platanes maigres ; puis, lentement, elles se mouvaient, traînaient leurs savates sur le sol glacé, faisaient dix pas, et s'arrêtaient de nouveau, collées à la terre. Il y en avait une, au tronc énorme, avec des jambes et des bras d'insecte, débordante et roulante, dans une guenille de soie noire, coiffée d'un foulard jaune ; il y en avait une autre, grande, sèche, en cheveux, qui avait un tablier de bonne ; et d'autres encore, des vieilles replâtrées, des jeunes très sales, si sales, si misérables, qu'un chiffonnier ne les aurait pas ramassées. Gervaise, pourtant, ne savait pas, tâchait d'apprendre, en faisant comme elles. Une émotion de petite fille la serrait à la gorge ; elle ne sentait pas si elle avait honte, elle agissait dans un vilain rêve. Pendant un quart d'heure, elle se tint toute droite. Des hommes filaient sans tourner la tête. Alors, elle se remua à son tour, elle osa accoster un homme qui sifflait, les mains dans les poches, et elle murmura d'une voix étranglée :

— Monsieur, écoutez donc...

L'homme la regarda de côté et s'en alla en sifflant plus fort.

Gervaise s'enhardissait. Et elle s'oublia dans l'âpreté de cette chasse, le ventre creux, s'acharnant après son dîner qui courait toujours. Longtemps, elle piétina, ignorante de l'heure et du chemin. Autour d'elle, les femmes muettes et noires, sous les arbres, voyageaient, enfermaient leur marche dans le va-et-vient régulier des bêtes en cage. Elles sortaient de l'ombre, avec une lenteur vague d'apparitions ; elles passaient dans le coup de lumière d'un bec de gaz, où leur masque blafard nettement surgissait ; et elles se noyaient de nouveau, reprises par l'ombre, balançant la raie blanche de leur jupon, retrouvant le charme frissonnant des ténèbres du trottoir. Des hommes se laissaient arrêter, causaient pour la blague, repartaient en rigolant. D'autres, discrets, effacés, s'éloignaient, à dix pas derrière une femme. Il y avait de gros murmures, des querelles à voix étouffée, des marchandages furieux, qui tombaient tout d'un coup à de grands silences. Et Gervaise, aussi loin qu'elle s'enfonçait, voyait s'espacer ces factions de femmes dans la nuit, comme si, d'un bout à l'autre des boulevards extérieurs, des femmes fussent plantées. Toujours, à vingt pas d'une autre, elle en apercevait une autre. La file se perdait, Paris entier était gardé. Elle, dédaignée, changeait de place, allait maintenant de la chaussée de Clignancourt à la grande rue de la Chapelle.

— Monsieur, écoutez donc...

Mais les hommes passaient. Elle partait des abattoirs, dont les décombres puaient le sang. Elle donnait un regard à l'ancien hôtel Boncœur, fermé et louche. Elle passait devant l'hôpital de Lariboisière, comptait machinalement le long des façades les fenêtres éclairées, brûlant comme des veilleuses d'agonisants, avec des lueurs pâles et tranquilles. Elle traversait le pont du chemin de fer, dans le branle des trains, grondant et déchirant l'air du cri désespéré de leurs sifflets. Oh ! que la nuit faisait toutes ces choses tristes ! Puis, elle tournait sur ses talons, elle s'emplissait les yeux des mêmes maisons, du défilé toujours semblable de ce bout d'avenue ; et cela, à dix, à vingt reprises, sans relâche, sans un repos d'une minute sur un banc. Non, personne ne voulait d'elle. Sa honte lui semblait grandir de ce dédain. Elle descendait encore vers l'hôpital, elle remontait vers les abattoirs. C'était sa promenade dernière, des cours sanglantes, où l'on assommait, aux salles blafardes où la mort raidissait les gens dans les draps de tout le monde. Sa vie avait tenu là.

— Monsieur, écoutez donc...

Et, brusquement, elle aperçut son ombre par terre. Quand elle approchait d'un bec de gaz, l'ombre vague se ramassait et se précisait, une ombre énorme, trapue, grotesque, tant elle était ronde. Cela s'étalait, le ventre, la gorge, les hanches, coulant et flottant ensemble. Elle louchait si fort de la jambe que, sur le sol, l'ombre faisait la culbute à chaque pas ; un vrai guignol ! Puis, lorsqu'elle s'éloignait, le guignol grandissait, devenait géant, emplissait le boulevard, avec des révérences qui lui cassaient le nez contre les arbres et les maisons. Mon Dieu ! qu'elle était drôle et effrayante ! Jamais elle n'avait si bien compris son avachissement. Alors, elle ne put s'empêcher de regarder ça, attendant les becs de gaz, suivant des yeux le chahut de son ombre. Ah ! elle avait là une belle gaupe qui marchait à côté d'elle ! Quelle touche ! Ça devait attirer les hommes tout de suite. Et elle baissait la voix, elle n'osait plus que bégayer dans le dos des passants :

— Monsieur, écoutez donc...

Parmi les écrivains contemporains de Zola, on ne s'étonnera pas que J. K. Huysmans ait porté sur ce livre le plus favorable des jugements :

« Ah ! criez, tempêtez, rougissez, si cela vous est possible, dites que *L'Assommoir* est populacier, et canaille, dites que les gros mots vous désarçonnent, qu'importe ! les artistes, les lettrés, voguent en plein enthousiasme...

« ... et enfin ces pages extraordinaires qui seront plus tard, lorsque la gloire de Zola demeurera incontestée, comptées parmi les plus belles, les plus radieuses, de notre

ASSOMMOIR
PAR
ILE ZOLA
GRAND SU
LA FIL
ELIS
PAR
A. DE GONC
1'30e EDI
THEATR

littérature : la mort de Lalie et le trottoir de Gervaise. Se peut-il donc que des gens osent nier l'inestimable talent de cet homme, sa personnalité puissante, son ampleur, sa force, uniques dans cette époque de rachitisme et de langueur... » (*L'Actualité de Bruxelles*, 1876).

Mais on remarquera peut-être davantage ces lignes que Mallarmé écrivit à Zola :

« Voilà une bien grande œuvre ; et digne d'une époque où la vérité devient la forme populaire de la beauté ! Ceux qui vous accusent de n'avoir pas écrit pour le peuple se trompent, dans un sens, autant que ceux qui regrettent un idéal ancien ; vous en avez trouvé un qui est moderne, c'est tout. La fin sombre du livre et votre admirable tentative de linguistique, grâce à laquelle tant de modes d'expression souvent ineptes forgés par de pauvres diables prennent la valeur des plus belles formules littéraires puisqu'ils arrivent à nous faire sourire ou presque pleurer, nous lettrés ! Cela m'émeut au dernier point ; est-ce chez moi disposition naturelle, toutefois, ou réussite peut-être plus difficile encore de votre part, je ne sais ? Mais le début du roman reste jusqu'à présent la portion que je préfère. La simplicité si prodigieusement sincère des descriptions de Coupeau travailleur ou de l'atelier de la femme me tiennent sous un charme que n'arrivent point à me faire oublier les tristesses finales ; c'est quelque chose d'absolument nouveau dont vous avez doté la littérature, que ces pages si tranquilles qui se tournent comme les jours d'une vie. » (Lettre, lundi 3 février 1877).

Pour la première fois, en tout cas, un écrivain de valeur prenait contact avec le monde ouvrier, et du retentissement de son œuvre allaient naître des romans qui attireraient l'attention sur le prolétariat. Devant le succès de *L'Assommoir*, Charpentier, honnêtement, modifie les termes du contrat qui liait Zola. Les journaux se disputent les prochaines œuvres de l'écrivain ; ils offrent de vingt à trente mille francs pour les publier en feuilleton. Aussi lui est-il bientôt possible de s'acheter une maison à Médan. Il en fait part à Flaubert dans les termes suivants :

J'ai acheté une maison, une cabane à lapins, entre Poissy et Triel, dans un trou charmant, au bord de la Seine ; neuf mille francs, je vous dis le prix pour que vous n'ayez pas trop de respect. La littérature a payé ce modeste asile champêtre, qui a le mérite d'être loin de toute station et de ne pas compter un seul bourgeois dans son voisinage. Je suis seul, absolument seul ; depuis un mois, je n'ai pas vu une face humaine.

L'argent désormais ne cessera d'affluer. Jamais demeure ne fut davantage liée à la réputation d'un écrivain ; l'une et l'autre grandissaient ensemble. Mais, plutôt que d'ajouter des ailes, Zola faisait construire des tours. C'est ainsi que, vers 1880, devait se dresser la tour Nana, et vers 1885, la tour Germinal. On pouvait de loin connaître le succès des œuvres de Zola en regardant dans la direction de sa maison. Les romans s'y changeaient en pierres.

Elle se meublait aussi, s'ornant d'un bric-à-brac de bibelots achetés au hasard de trouvailles chez les antiquaires, et sans beaucoup de goût. Épaté par l'intérieur japonais d'Edmond de Goncourt, Émile Zola tentait de rivaliser avec lui dans la brocante ; le résultat n'était pas brillant. Il avait peu de temps, d'ailleurs, à consacrer à ces bagatelles ; l'arbre généalogique des *Rougon-Macquart* attendait son pépiniériste. Rien de plus illimité qu'une famille, il suffit d'ajouter des descendants.

LA MAISON DE MÉDAN
Photographie prise du vivant de Zola.

N° 4

LES HOMMES D'AUJOURD'HUI

10 c.

DESSINS DE GILL

ÉMILE ZOLA

UNE PAGE D'AMOUR.

A peine *L'Assommoir* venait-il d'être publié, que Zola se mettait au travail, mais pour écrire cette fois un livre bien différent : *Une page d'amour.* Le contraste entre cette œuvre et la précédente l'amuse. De L'Estaque, il écrit à Théodore Duret, en septembre 1877 :

Ce qui me soutient, c'est la pensée de la stupéfaction du public en face de cette douceur. J'adore dérouter mon monde.

C'est ce qu'il confie également à J. K. Huysmans :

Je viens de terminer la première partie de mon roman qui en aura cinq. C'est un peu popote, un peu jeanjean ; mais cela se boira agréablement, je crois. Je veux étonner les lecteurs de L'Assommoir, *par un livre bonhomme. Je suis enchanté quand j'ai écrit une bonne petite page naïve, qui a l'air d'avoir seize ans. Pourtant, je n'affirme pas que, çà et là, un pet-en-l'air ne m'enlève pas dans des choses peu honnêtes. Mais c'est là l'exception. Je convoque les lecteurs à une fête de famille, où l'on rencontrera des bons cœurs. Enfin, la première partie se termine par un Paris à vol d'oiseau, d'abord noyé de brouillard, puis apparaissant peu à peu sous un blond soleil de printemps, qui est, je crois, une de mes meilleures pages jusqu'ici. Voilà pourquoi je suis content, et je le dis, vous le voyez, sur un ton lyrique.*

Puisque Zola était si content de ces pages, les voici :

Une brume s'élevait des lointains de Paris, dont l'immensité s'enfonçait dans le vague blafard de cette nuée. Au pied du Trocadéro, la ville couleur de plomb semblait morte, sous la tombée lente des derniers brins de neige. C'était, dans l'air devenu immobile, une moucheture pâle sur les fonds sombres,

◀ *Caricature de* 1878

filant avec un balancement insensible et continu. Au delà des cheminées de la Manutention, dont les tours de briques prenaient le ton du vieux cuivre, le glissement sans fin de ces blancheurs s'épaississait, on aurait dit des gazes flottantes, déroulées fil à fil. Pas un soupir ne montait, de cette pluie de rêve, enchantée en l'air, tombant endormie et comme bercée. Les flocons paraissaient ralentir leur vol, à l'approche des toitures ; ils se posaient un à un, sans cesse, par millions, avec tant de silence, que les fleurs qui s'effeuillent font plus de bruit ; et un oubli de la terre et de la vie, une paix souveraine, venait de cette multitude en mouvement, dont on n'entendait pas la marche dans l'espace. Le ciel s'éclairait de plus en plus, partout à la fois, d'une teinte laiteuse, que des fumées troublaient encore. Peu à peu, les îlots éclatants des maisons se détachaient, la ville apparaissait à vol d'oiseau, coupée de ses rues et de ses places, dont les tranchées et les trous d'ombres dessinaient l'ossature géante des quartiers.

. . . .

La neige avait cessé, les derniers flocons s'étaient posés sur les toits avec une lenteur lasse ; et, dans le vaste ciel d'un gris de perle, derrière les brumes qui se fondaient, le ton d'or du soleil allumait une clarté rose. Une seule bande de bleu, sur Montmartre, bordait l'horizon d'un bleu si lavé et si tendre, qu'on aurait dit l'ombre d'un satin blanc. Paris se dégageait des fumées, s'élargissait avec ses champs de neige, sa débâcle qui le figeait dans une immobilité de mort. Maintenant, les mouchetures volantes ne donnaient plus à la ville ce grand frisson, dont les ondes pâles tremblaient sur les façades couleur de rouille. Les maisons sortaient toutes noires des masses blanches où elles dormaient, comme moisies par des siècles d'humidité. Des rues entières semblaient ruinées, dévorées de salpêtre, les toitures près de fléchir, les fenêtres enfoncées déjà. Une place, dont on apercevait le carré plâtreux, s'emplissait d'un tas de décombres. Mais, à mesure que la bande bleue grandissait du côté de Montmartre, une lumière coulait, limpide et froide comme une eau de source, mettant Paris sous une glace où les lointains eux-mêmes prenaient une netteté d'image japonaise.

C'était un bleu limpide, très pâle, à peine un reflet bleu dans la blancheur du soleil. L'astre, bas sur l'horizon, avait un éclat de lampe d'argent. Il brûlait sans chaleur, dans la réverbération de la neige, au milieu de l'air glacé. En bas, de vastes toitures, les tuiles de la Manutention, les ardoises des maisons du quai, étalaient des draps blancs, ourlés de noir. De l'autre côté du fleuve, le carré du Champ-de-Mars déroulait une steppe, où des pointes sombres, des voitures perdues, faisaient songer à des traîneaux russes filant avec un bruit de clochettes ; tandis que les ormes du quai d'Orsay, rapetissés par l'éloignement, alignaient des floraisons de fins cristaux, hérissant leurs aiguilles. Dans l'immobilité de cette mer de glace, la Seine roulait des eaux terreuses, entre ses berges qui la bordaient d'hermine ; elle charriait depuis la veille, et l'on distinguait nettement, contre les piles du pont des Invalides, l'écrasement des blocs s'engouffrant sous les arches. Puis, les ponts s'échelonnaient, pareils à des dentelles blanches, de plus en plus délicates, jusqu'aux roches éclatantes de la Cité, que les tours de Notre-Dame surmontaient de leurs pics neigeux. D'autres pointes, à gauche, trouaient la plaine uniforme des quartiers. Saint-Augustin, l'Opéra, la tour Saint-Jacques étaient comme des monts où règnent les neiges éternelles ; plus près, les pavillons des Tuileries et du Louvre, reliés par les nouveaux bâtiments, dessinaient l'arête d'une chaîne aux sommets immaculés. Et c'étaient encore, à droite, les cimes blanchies des Invalides, de Saint-Sulpice, du Panthéon, ce dernier très loin profilant sur l'azur un palais du rêve, avec des revêtements de marbre bleuâtre. Pas une voix ne montait. Des rues se devinaient à des fentes grises, des carrefours semblaient s'être creusés dans un craquement. Par files entières, les maisons avaient disparu. Seules, les façades voisines étaient reconnaissables aux mille raies de leurs fenêtres. Les nappes de neige, ensuite, se confondaient, se perdaient en un lointain éblouissant, en un lac dont les ombres bleues prolongeaient le bleu du ciel. Paris, immense et clair, dans la vivacité de cette gelée, luisait sous le soleil d'argent.

Zola avait lui-même prévu que son nouveau roman laisserait le public sur sa faim ; c'est en effet ce qui se produisit. Écrite en partie dans la banlieue de Marseille, *Une Page d'Amour*, parue en 1878, après *L'Assommoir*, déçut les lecteurs. Mis en appétit, ceux-ci exigeaient du romancier expérimental qu'il leur fournît des nourritures fortes.

Mais Zola, qui parfois encore éprouvait des nostalgies mussettistes, avait voulu montrer que la peinture des sentiments délicats était aussi dans sa palette. Il lui en coûtait un livre médiocre et une baisse de tirage.

C'est alors qu'Edmond de Goncourt le rencontrait, l'œil terne derrière son binocle, désabusé, geignant, la parole amère : un des romans de la série restait en panne. Le succès était nécessaire à Zola, un succès immédiat, éclatant ; la dernière ligne écrite, les épreuves corrigées, il redevenait le chef de publicité. Il suivait la courbe des ventes avec passion. C'était sa feuille de température. La ligne montait-elle, il était vif, joyeux, le monde lui paraissait splendide, le roman expérimental était le dernier mot de la science ; si la vente stagnait, il demeurait quelques jours gémissant, puis rêvait de revanche, imaginant de nouveaux moyens pour reprendre en main son public. On voulait du scandale, on en aurait, car Zola ne connaissait aucune des inquiétudes qui gagnent parfois un écrivain après une réussite et lui font redouter de décevoir ses lecteurs par les ouvrages qui suivront.

Sa règle d'or, le mot d'ordre qu'il donnait à ses amis et à ses disciples, était : « *Faisons-en beaucoup* ». Rien ne l'exaspère autant qu'un jeune écrivain qui lui confie ses doutes sur le roman qu'il est en train d'écrire. Pour lui, son assurance n'est jamais aussi grande qu'après un succès. « Allez de l'avant », conseille-t-il. La foule, la polémique, le combat sont ses éléments. C'est un homme d'action. Les deux tours de Médan sont bâties en une tout autre matière que l'ivoire ; leurs fenêtres s'ouvrent sur tous les aspects du monde. Zola, de sa forteresse, a une vue tournante ; le nez au créneau, il observe de derrière son lorgnon.

Un moment soucieux de dérouter son monde, il n'a pas pour autant perdu le sens des réalités ; ainsi écrit-il à Mme Charpentier :

Mais il faut bien nous dire que nous n'allons pas avoir le succès de L'Assommoir. *Cette fois,* Une page d'amour *(je m'en tiens à ce titre, qui est le meilleur de ceux que j'ai trouvés) est une œuvre trop douce pour passionner le public. Là-dessus, il n'y a aucune illusion à se faire. Vendons-en dix mille, et déclarons-nous satisfaits. Mais nous nous rattraperons avec* Nana. *Je rêve ici une* Nana *extraordinaire. Vous verrez ça. Du coup, nous nous faisons massacrer, Charpentier et moi.*

Caricature de 1879

Troisième année — N° 130 Le Numéro : **DIX** Centimes Dimanche 19 Octobre 1879

LA LUNE ROUSSE

ABONNEMENTS

AND. GILL
Rédacteur en Chef

LA NAISSANCE DE NANA-VÉNUS — PAR GILL

Motif à tableau pour les BOUGUEREAU futurs.

Paul Alexis

J.K. Huysmans Guy de Maupassant

Emile Zola

Léon Hennique Henry Céard

NANA.

C'est vers cette époque, entre 1877 et 1880, qu'un groupe d'écrivains, ses cadets de quelques années, avaient pris l'habitude d'aller voir Émile Zola dans sa maison de Médan. Les plus fidèles étaient Huysmans, Guy de Maupassant, Henri Céard, Léon Hennique et Paul Alexis. Tous, évidemment, se réclamaient de l'école naturaliste. De ces réunions, un livre devait naître en 1880 : *Les Soirées de Médan*, qui contenait une nouvelle de chacun de ces six écrivains. Celle de Zola avait pour titre *L'Attaque du Moulin ;* celle de Maupassant, *Boule de Suif*, devait rendre son auteur célèbre à trente ans.

Une Page d'Amour ayant été un échec, Zola prépare sa revanche. Cette fois, il peindra la vie d'une courtisane. Malheureusement, comme il aime le répéter, il est un chaste ; c'est un milieu qu'il connaît mal. Et de nouveau il fait appel à l'expérience de ses amis ; Goncourt, Daudet, Céard, d'autres encore l'aident de leurs conseils, l'introduisent chez des lionnes. Il écrit à Céard :

Merci mille fois pour vos notes. Elles sont excellentes, et je les emploierai toutes ; le dîner surtout est stupéfiant. Je voudrais avoir cent pages de notes pareilles. Je ferais un bien beau livre. Si vous retrouvez quelque chose, par vous ou vos amis, faites-moi un nouvel envoi. Je suis affamé de choses vues.

Je tiens le plan de Nana, *et je suis très content. J'ai mis trois jours pour trouver les noms, dont quelques-uns me paraissent réussis ; il faut vous dire que j'ai déjà soixante personnages. Je ne pourrai me mettre à l'écriture que dans une quinzaine de jours, tant j'ai encore de détails à régler.*

Le 9 août 1878, il annonce à Flaubert :

Je viens de terminer le plan de Nana, *qui m'a donné beaucoup de peine, car il porte sur un monde singulièrement*

LES SIX

Les signatures sont celles qui figurent sur la dédicace des Soirées de Médan *à Madame Emile Zola.*

complexe, et je n'aurai pas moins d'une centaine de personnages. Je suis très content de ce plan. Seulement, je crois que cela sera bien raide. Je veux tout dire, et il y a des choses bien grosses. Vous serez content, je crois, de la façon paternelle et bourgeoise dont je vais prendre les bonnes « filles de joie ». — J'ai, en ce moment, ce petit frémissement dans la plume, qui m'a toujours annoncé l'heureux accouchement d'un bon livre. — Je compte commencer à écrire vers le 20 de ce mois, après ma correspondance de Russie.

Zola n'avait pas tort d'être content. Sans atteindre à l'ampleur de *L'Assommoir* ou plus tard de *Germinal*, ce roman est l'un des meilleurs de la série.

Voici d'ailleurs ce que Flaubert en écrira à Charpentier :

« Quel bouquin ! C'est raide ! Et le bon Zola est un homme de génie, qu'on se le dise !!! »

Puis à l'auteur lui-même :

« ... S'il fallait noter tout ce qui s'y trouve de rare et de fort, je ferais un commentaire à toutes les pages ! Les caractères sont merveilleux de vérité. Les mots « nature » foisonnent ; à la fin la mort de Nana est *Michelangelesque* !

« Un livre énorme, mon bon !

« ... Maintenant, que vous ayez pu économiser les mots grossiers, c'est possible ! que la table d'hôte des tribades « révolte toute pudeur », je le crois ! Eh bien ! Après ! merde pour les imbéciles. C'est nouveau, en tout cas, et crânement fait.

« Le mot de « Mignon », quel outil ! et tout le caractère de « Mignon », du reste, me ravit.

« *Nana* tourne au mythe, sans cesser d'être réelle. »

Le roman s'ouvre sur les pages un peu photographiques de la soirée où la fille de Gervaise et de Coupeau débute au théâtre ; c'est le morceau de bravoure, le contre-ut du roman expérimental. Mais l'auteur ne tarde pas à se prendre au jeu ; de toute évidence, Nana lui plaît, il voudrait bien être à la place de Fontan.

Une fois de plus, Zola rivalise avec les maîtres de la peinture. Il sera Rubens, Courbet, Renoir. Nana est grasse, blonde, ses chairs sont triomphantes, elle a la poitrine d'une jeune guerrière, des dessous un peu négligés dans les périodes de débine, comme il va de soi dans un roman naturaliste. Zola nous la montre sous tous ses aspects ;

polissonne dans sa loge, durant la visite de l'altesse royale, tandis qu'un pan de sa chemise dépasse de son pantalon, qu'elle va et vient au milieu de ses admirateurs, et se farde, la gorge nue ; puis en scène, après un tableau où elle paraît en maillot, saluant à reculons, inclinée, les hanches évasées. Ensuite, respectant la gradation, Zola nous la fait voir nue, se chauffant près d'un feu de cheminée, s'admirant dans un miroir en tenant ses seins à deux mains.

Ces descriptions sont belles ; le théoricien du roman expérimental est enflammé, il ne se lasse pas de peindre son modèle, il s'attendrit, il fait de Nana une bonne fille qui ruine les hommes sans y penser, comme elle croquerait une pomme. Veule aussi, naturellement, s'éprenant d'un affreux comique de bastringue qui la bat, car Nana aime ça, bien entendu. Le roman scientifique prend feu dans ces pages, mais ce n'est pas la flamme des cornues qui dore la chair de Nana. Émile Zola le chaste se rattrape. On a fait du chemin depuis *Madame Bovary*.

Voici tout d'abord les débuts de Nana au théâtre.

A ce moment, les nuées, au fond, s'écartèrent, et Vénus parut. Nana, très grande, très forte pour ses dix-huit ans, dans sa tunique blanche de déesse, ses longs cheveux blonds simplement noués sur les épaules, descendit vers la rampe avec un aplomb tranquille, en riant au public. Et elle entama son grand air :

Lorsque Vénus rôde le soir...

Dès le second vers, on se regardait dans la salle. Était-ce une plaisanterie, quelque gageure de Bordenave ? Jamais on n'avait entendu une voix aussi fausse, menée avec moins de méthode. Son directeur la jugeait bien, elle chantait comme une seringue. Et elle ne savait même pas se tenir en scène, elle jetait les mains en avant, dans un balancement de tout son corps, qu'on trouva peu convenable et disgracieux. Des oh ! oh ! s'élevaient déjà du parterre et des petites places, on sifflotait, lorsqu'une voix de jeune coq en train de muer, aux fauteuils d'orchestre, lança avec conviction :

— Très chic !

Toute la salle regarda. C'était le chérubin, l'échappé du collège, ses beaux yeux écarquillés, sa face blonde enflammée par la vue de Nana. Quand il vit le monde se tourner vers lui, il devint très rouge d'avoir ainsi parlé haut, sans le vouloir.

Daguenet, son voisin, l'examinait avec un sourire, le public riait, comme désarmé et ne songeant plus à siffler ; tandis que les jeunes messieurs en gants blancs, empoignés eux aussi par le galbe de Nana, se pâmaient, applaudissaient.

— C'est ça, très bien ! bravo !

Nana, cependant, en voyant rire la salle, s'était mise à rire. La gaieté redoubla. Elle était drôle tout de même, cette belle fille. Son rire lui creusait un amour de petit trou dans le menton. Elle attendait, pas gênée, familière, entrant tout de suite de plain-pied avec le public, ayant l'air de dire elle-même d'un clignement d'yeux qu'elle n'avait pas de talent pour deux liards, mais que ça ne faisait rien, qu'elle avait autre chose. Et, après avoir adressé au chef d'orchestre un geste qui signifiait : « Allons-y, mon bonhomme ! » elle commença le second couplet :

A minuit, c'est Vénus qui passe...

C'était toujours la même voix vinaigrée, mais à présent, elle grattait si bien le public au bon endroit, qu'elle lui tirait par moments un léger frisson. Nana avait gardé son rire, qui éclairait sa petite bouche rouge et luisait dans ses grands yeux, d'un bleu très clair. A certains vers un peu vifs, une friandise retroussait son nez dont les ailes roses battaient, pendant qu'une flamme passait sur ses joues. Elle continuait à se balancer, ne sachant faire que ça. Et on ne trouvait plus ça vilain du tout, au contraire ; les hommes braquaient leurs jumelles. Comme elle terminait le couplet, la voix lui manqua complètement, elle comprit qu'elle n'irait jamais au bout. Alors, sans s'inquiéter, elle donna un coup de hanche qui dessina une rondeur sous la mince tunique, tandis que, la taille pliée, la gorge renversée, elle tendait les bras. Des applaudissements éclatèrent. Tout de suite, elle s'était tournée, remontant, faisant voir sa nuque où des cheveux roux mettaient comme une toison de bête ; et les applaudissements devinrent furieux.

Passons au deuxième tableau. La loge de Nana, durant l'entracte, est envahie par les admirateurs.

— Je vous demande pardon, messieurs, dit Nana en écartant le rideau, mais j'ai été surprise...

Tous se retournèrent. Elle ne s'était pas couverte du tout, elle venait simplement de boutonner un petit corsage de percale, qui lui cachait à demi la gorge. Lorsque ces messieurs l'avaient mise en fuite, elle se déshabillait à peine, ôtant vivement son costume de Poissarde. Par derrière, son pantalon laissait passer encore un bout de chemise. Et les bras nus, les épaules nues, la pointe des seins à l'air, dans son adorable jeunesse de blonde grasse, elle tenait toujours le rideau d'une main, comme pour le tirer de nouveau, au moindre effarouchement.

— Oui, j'ai été surprise, jamais je n'oserai... balbutia-t-elle, en jouant la confusion, avec des tons roses sur le cou et des sourires embarrassés.

— Allez donc, puisqu'on vous trouve très bien ! cria Bordenave.

Elle risqua encore des mines hésitantes d'ingénue, se remuant comme chatouillée, répétant :

— Son Altesse me fait trop d'honneur... Je prie Son Altesse de m'excuser, si je la reçois ainsi...

— C'est moi qui suis importun, dit le prince ; mais je n'ai pu, madame, résister au désir de vous complimenter...

Alors, tranquillement, pour aller à la toilette, elle passa en pantalon au milieu de ces messieurs, qui s'écartèrent. Elle avait les hanches très fortes, le pantalon ballonnait, pendant que, la poitrine en avant, elle saluait encore avec son fin sourire. Tout d'un coup, elle parut reconnaître le comte Muffat, et elle lui tendit la main, en amie. Puis, elle le gronda de n'être pas venu à son souper. Son Altesse daignait plaisanter Muffat, qui bégayait, frissonnait d'avoir tenu une seconde, dans sa main brûlante, cette petite main, fraîche des eaux de toilette. Le comte avait fortement dîné chez le prince, grand mangeur et grand buveur. Tous deux étaient même un peu gris. Mais ils se tenaient très bien. Muffat, pour cacher son trouble, ne trouva qu'une phrase sur la chaleur.

— Mon Dieu ! qu'il fait chaud ici, dit-il. Comment faites-vous, madame, pour vivre dans une telle température ?

Et voici le bouquet :

Un des plaisirs de Nana était de se déshabiller en face de son armoire à glace, où elle se voyait en pied. Elle faisait tomber jusqu'à sa chemise ; puis, toute nue, elle s'oubliait, elle se regardait longuement. C'était une passion de son corps, un ravissement du satin de sa peau et de la ligne souple de sa taille, qui la tenait sérieuse, attentive, absorbée dans un amour d'elle-même. Souvent, le coiffeur la trouvait ainsi, sans qu'elle tournât la tête. Alors, Muffat se fâchait, et elle restait surprise. Que lui prenait-il ? Ce n'était pas pour les autres, c'était pour elle.

Ce soir-là, voulant se mieux voir, elle alluma les six bougies des appliques. Mais, comme elle laissait glisser sa chemise, elle s'arrêta, préoccupée depuis un moment, ayant une question au bord des lèvres.

— Tu n'as pas lu l'article du Figaro *?... Le journal est sur la table.*

Le rire de Daguenet lui revenait à la mémoire, elle était travaillée d'un doute. Si ce Fauchery l'avait débinée, elle se vengerait.

— On prétend qu'il s'agit de moi, là-dedans, reprit-elle en affectant un air d'indifférence. Hein ? chéri, quelle est ton idée ?

Et, lâchant la chemise, attendant que Muffat eût fini sa lecture, elle resta nue. Muffat lisait lentement. La chronique de Fauchery, intitulée La Mouche d'Or, *était l'histoire d'une jeune fille, née de quatre ou cinq générations d'ivrognes, le sang gâté par une longue hérédité de misère et de boisson, qui se transformait chez elle en un détraquement nerveux de son sexe de femme. Elle avait poussé dans un faubourg, sur le pavé parisien ; et, grande, belle, de chair superbe ainsi qu'une plante de plein fumier, elle vengeait les gueux et les abandonnés dont elle était le produit. Avec elle, la pourriture qu'on laissait fermenter dans le peuple, remontait et pourrissait l'aristocratie. Elle devenait une force de la nature, un ferment de destruction, sans le vouloir elle-même, corrompant et désorganisant Paris entre ses cuisses de neige, le faisant tourner comme des femmes, chaque mois, font tourner le lait. Et c'était à la fin de l'article que se trouvait la comparaison de la mouche, une mouche couleur de soleil, envolée de l'ordure, une mouche qui prenait la mort sur les charognes tolérées le long des chemins, et qui, bourdonnante, dansante, jetant un éclat de pierreries, empoisonnait les hommes rien qu'à se poser sur eux, dans les palais où elle entrait par les fenêtres.*

Muffat leva la tête, les yeux fixes regardant le feu.

— Eh bien ? demanda Nana.

Mais il ne répondit pas. Il parut vouloir relire la chronique. Une sensation de froid coulait de son crâne sur ses épaules. Cette chronique était écrite à la diable, avec des cabrioles de phrases, une outrance de mots imprévus et de rapproche-

ments baroques. Cependant, il restait frappé par sa lecture, qui, brusquement, venait de réveiller en lui tout ce qu'il n'aimait point à remuer depuis quelques mois.

Alors il leva les yeux. Nana s'était absorbée dans son ravissement d'elle-même. Elle pliait le cou, regardant avec attention dans la glace un petit signe brun qu'elle avait au-dessus de la hanche droite ; et elle le touchait du bout du doigt, elle le faisait saillir en se renversant davantage, le trouvant sans doute drôle et joli, à cette place. Puis, elle étudia d'autres parties de son corps, amusée, reprise de ses curiosités vicieuses d'enfant. Ça la surprenait toujours de se voir ; elle avait l'air étonné et séduit d'une jeune fille qui découvre sa puberté. Lentement, elle ouvrit les bras pour développer son torse de Vénus grasse, elle ploya la taille, s'examinant de dos et de face, s'arrêtant au profil de sa gorge, aux rondeurs fuyantes de ses cuisses. Et elle finit par se plaire au singulier jeu de se balancer, à droite, à gauche, les genoux écartés, la taille roulant sur les reins, avec le frémissement continu d'une almée dansant la danse du ventre.

Muffat la contemplait. Elle lui faisait peur. Le journal était tombé de ses mains. Dans cette minute de vision nette, il se méprisait. C'était cela : en trois mois, elle avait corrompu sa vie, il se sentait déjà gâté jusqu'aux moelles par des ordures qu'il n'aurait pas soupçonnées. Tout allait pourrir en lui, à cette heure. Il eut un instant conscience des accidents du mal, il vit la désorganisation apportée par ce ferment, lui empoisonné, sa famille détruite, un coin de société qui craquait et s'effondrait. Et, ne pouvant détourner les yeux, il la regardait fixement, il tâchait de s'emplir du dégoût de sa nudité.

Nana ne bougea plus. Un bras derrière la nuque, une main prise dans l'autre, elle renversait la tête, les coudes écartés. Il voyait en raccourci ses yeux demi-clos, sa bouche entr'ouverte, son visage noyé d'un rire amoureux ; et, par derrière, son chignon de cheveux jaunes dénoué lui couvrait le dos d'un poil de lionne. Ployée et le flanc tendu, elle montrait les reins solides, la gorge dure d'une guerrière, aux muscles forts sous le grain satiné de la peau. Une ligne fine, à peine ondulée par l'épaule et la hanche, filait d'un de ses coudes à son pied. Muffat suivait ce profil si tendre, ces fuites de chair blonde se noyant dans des lueurs dorées, ces rondeurs où la flamme des bougies mettait des reflets de soie. Il songeait à son ancienne horreur de la femme, au monstre de l'Écriture,

ZOLA, PAR MANET

NANA, PAR MANET

S'il est certain que le peintre ne put s'inspirer du roman, et fort probable que le romancier ne s'inspira point du tableau, il demeure possible que l'un et l'autre soient partis du même modèle. Celui de Manet, en tout cas, fut l'actrice Henriette Hauser surnommée « Citron » (Hambourg, Kunsthalle, N° 2376).

lubrique, sentant le fauve. Nana était toute velue, un duvet de rousse faisait de son corps un velours ; tandis que, dans sa croupe et ses cuisses de cavale, dans les renflements charnus, creusés de plis profonds, qui donnaient au sexe le voile troublant de leur ombre, il y avait de la bête. C'était la bête d'or, inconsciente comme une force, et dont l'odeur seule gâtait le monde. Muffat regardait toujours, obsédé, possédé, au point qu'ayant fermé les paupières, pour ne plus voir, l'animal reparut au fond des ténèbres, grandi, terrible, exagérant sa posture. Maintenant, il serait là, devant ses yeux, dans sa chair, à jamais.

Mais Nana se pelotonnait sur elle-même. Un frisson de tendresse semblait avoir passé dans ses membres. Les yeux mouillés, elle se faisait petite, comme pour se mieux sentir. Puis, elle dénoua les mains, les abaissa le long d'elle par un glissement, jusqu'aux seins, qu'elle écrasa d'une étreinte nerveuse. Et rengorgée, se fondant dans une caresse de tout son corps, elle se frotta les joues à droite à gauche, contre ses épaules, avec câlinerie. Sa bouche goulue soufflait sur elle le désir. Elle allongea les lèvres, elle se baisa longuement près de l'aisselle, en riant à l'autre Nana, qui, elle aussi, se baisait dans la glace.

Alors, Muffat eut un soupir las et prolongé. Ce plaisir solitaire l'exaspérait. Brusquement, tout fut emporté en lui, comme par un grand vent. Il prit Nana à bras le corps dans un élan de brutalité, et la jeta sur le tapis.

Si l'on retire de l'œuvre de Zola la théorie de l'hérédité, et ce sera sans grand dommage, sa construction est rigoureusement la même que celle de Balzac. Dans l'une comme dans l'autre, c'est le même mouvement de navette, qui ramène les personnages d'un livre au suivant, le même travail de tisserand. L'intrigue, par delà chaque roman, tente de couvrir de son réseau l'œuvre entière, — mais souvent, à vrai dire, d'une façon tout extérieure : il y a là plutôt une commodité d'auteur qu'une rigoureuse nécessité.

Que Nana soit la fille de Gervaise, nous le savons parce que Zola nous le dit, mais on ne voit guère que cela ajoute quoi que ce soit au livre ou au personnage. De loin en loin, on nous rappelle brièvement qu'il s'agit de la même fille que nous avons vue dans *L'Assommoir*, mais ces rappels du passé sont si étrangers à l'histoire même que nous lisons, qu'ils nous frappent à peine. Jamais non plus Nana ne rencontre une de ses anciennes camarades d'atelier, ni qui que ce soit qu'elle ait connu avant, hormis sa tante. Pas une fois, il ne lui arrive de passer à proximité du quartier où elle a vécu enfant. Rien ne peut mieux montrer ce que le procédé comporte d'artifice, car une telle rupture — quasi totale — avec le passé, semble inconcevable.

Dès la publication, le succès de *Nana* fut immense ; le choix du sujet, les personnages réels que l'on croyait découvrir derrière ceux de la fiction, y contribuèrent beaucoup. Le scandale ne fut pas le moindre élément de la réussite. Les attaques contre Zola redoublèrent. Ceux qui avaient applaudi *L'Assommoir* parce qu'on y montrait les tares des milieux ouvriers, sifflèrent *Nana*, qui dévoilait les faiblesses des milieux bien-pensants.

Zola écoute le tumulte, ravi, et répond aux accusations d'obscénité avec ses sempiternels arguments : il est un bon bourgeois, sans vices, sans passions ; il peint la vie, il montre ce qu'il voit, ce qu'il sait, il pourrait donner cent exemples — pris dans la réalité — de ce qu'il avance dans ses livres ; au reste, chacun le sait bien, y compris ceux qui crient le plus fort. De quel droit lui interdirait-on de parler de ce qui existe ? Il trace d'ailleurs la frontière entre les écrivains que l'on peut à bon droit appeler érotiques, ceux qui ne se proposent que de flatter les pires instincts du lecteur, et lui-même qui, s'inspirant de la seule vérité, a pour unique intention de purifier les mœurs.

A en juger par le nombre des lecteurs de *Nana*, ceux qui souhaitaient s'amender devaient être légion...

En fait, la seule pierre de touche pour Zola, c'est la réalité. C'est elle, et elle seule, qui peut justifier à ses yeux l'écrivain. Ce que vous contez est-il réel, l'avez-vous vécu, observé, des gens dignes de foi l'ont-ils vu ? Alors, aucune loi morale ne peut vous interdire d'en faire le sujet de votre livre, pour scandaleux qu'il paraisse. De même qu'aux yeux du médecin il n'est pas de maladies honteuses, il n'est pas pour le romancier de passions dont il doive s'abstenir de parler ; il a le droit — mieux encore : le devoir — de les écrire. C'est pourquoi Zola préfacera le journal d'un homosexuel, bien que l'ouvrage soit anonyme. C'est pourquoi aussi il condamnera dans les termes les plus durs le marquis de Sade, reprenant presque mot pour mot les critiques qu'on lui adresse à lui-même. Dans les ouvrages de cet auteur, tout comme dans *Le Maudit*, d'un soi-disant Abbé X., il ne voit que monstruosités imaginaires, caricatures de la réalité, œuvres de fous.

Il interdit à l'imagination du romancier de noircir gratuitement la condition humaine, mais il pense qu'une moralité peut toujours se dégager du fait réel, si atroce soit-il, et que le remède se trouve toujours à côté du mal. En somme, il est profondément moraliste.

Et ce qui contribue à lui donner tant d'assurance, c'est la certitude qu'il a d'être lui-même un homme vertueux ; et c'est vrai : il est sobre, chaste, véridique, fidèle à ses amis. Ainsi armé de vertu de pied en cap, il peut explorer toutes les faiblesses, toutes les bassesses humaines, sans jamais s'y sentir engagé. Il a la fermeté du médecin dans la salle de dissection. Il se fait d'ailleurs de son art la plus haute opinion qui soit, et rien ne pourra jamais le détourner de ce qui lui paraît être la vérité. On le verra bien lors de l'affaire Dreyfus.

Nana fait encore un tapage de tous les diables, que Zola se remet à la chasse aux documents. Cette fois, il s'agit de *Pot-Bouille*.

Le 6 juin 1881, il écrit à Huysmans :

Merci pour vos bons renseignements, mais je vais vous importuner encore en précisant.

Mon architecte, d'une importance médiocre, habite Paris, rue de Choiseul sans doute, et se trouve être de la paroisse de Saint-Roch. Si j'en ai fait l'architecte du diocèse d'Évreux, par exemple, pourrai-je l'employer à des réparations dans l'église Saint-Roch ? Ce serait sans doute lui donner une trop grande situation que de le prendre pour Paris. Voyez pourtant s'il n'y aurait pas moyen, s'il n'existe pas à Paris des architectes de paroisse, et quels seraient alors leurs appointements, leurs occupations, etc. Autrement, si je dois m'en tenir à mon diocèse d'Évreux, voyez à m'avoir quelques détails complémentaires, sur les voyages à faire, les rapports avec le clergé, etc. Mais je préférerais mille fois Paris.

Comme il l'avait fait pour *Une Page d'Amour*, Zola travaille à *Pot-Bouille* avec sa constance habituelle, mais sans grand élan. C'est ce qu'il écrit à Henry Céard, le 24 août 1881 :

Je travaille toujours dans un bon équilibre. Mon roman n'est décidément qu'une besogne de précision et de netteté. Aucun air de bravoure, pas le moindre régal lyrique. Je n'y goûte pas de chaudes satisfactions, mais il m'amuse comme une mécanique aux mille rouages dont il s'agit de régler la marche avec un soin méticuleux. Je me pose cette question : quand on croit avoir la passion, est-ce bien adroit de la refuser ou même de la contenir ? Si un de mes livres reste, ce sera à coup sûr le plus passionné. Enfin, il faut bien varier sa note et essayer de tout. Tout ceci est simplement histoire de s'éplucher le cerveau ; car, je le répète, je suis très satisfait de Pot-Bouille, *que j'appelle : mon* Éducation sentimentale.

Pot-Bouille est un livre extrêmement long, et qui a le tort de le paraître. L'une de ses faiblesses est d'être une sorte de caricature du naturalisme, tant il donne dans les poncifs de l'école. Malgré la réussite de certaines pages, en particulier celles qui nous montrent Berthe surprise avec son amant au milieu de la nuit, ce roman donne une impression de monotonie.

Tous les personnages sont locataires d'un même immeuble, et c'est un chassé-croisé d'intrigues à n'en plus finir. Peut-être le plus grand défaut de *Pot-Bouille* est-il de contenir une douzaine de romans, mais il y a aussi les personnages ; l'auteur les a voulus médiocres, et il ne parvient guère à nous intéresser à l'existence de ces petits bourgeois.

Zola lui-même s'est mis dans un coin du tableau, il fait dire par un personnage que ses romans orduriers se vendent au poids de l'or. Il est vraisemblable que les locataires d'une maison qu'il a habitée à Paris lui ont servi de modèles, avec l'arrangement naturaliste d'usage. Ce qui ne les arrange pas.

C'est pourtant une œuvre qu'aimait André Gide, qui notait dans son *Journal* :

« Je viens de relire *Pot-Bouille* avec admiration. Oh ! parbleu, je reconnais bien les défauts de Zola ; mais, tout comme ceux de Balzac ou de tant d'autres, ils sont inséparables de ses qualités ; et la brutalité, la force de ses peintures est exclusive de délicatesse et de subtilité. C'est l'outrance même de *Pot-Bouille* qui me plaît, et la persévérance dans l'immonde. Le rendez-vous d'Octave et de Berthe dans la chambre de bonne et la salissure de leur misérable amour sous le flot ordurier des propos de la valetaille, l'accouchement clandestin d'Adèle, les scènes de famille et les explications de Mme Josserand et de ses filles (un peu trop répétées, comme à peu près tous les effets de ce livre) sont tracés de main magistrale et ne se peuvent oublier. Les personnages sont simplifiés à l'excès, mais ce ne sont pas des fantoches, et les pittoresques propos qu'ils tiennent sont d'une justesse de ton que l'on trouve bien rarement chez Balzac. Je tiens le discrédit actuel de Zola pour une monstrueuse injustice qui ne fait pas grand honneur à nos critiques littéraires d'aujourd'hui. Il n'est pas de romancier français plus personnel ni plus représentatif. »

Cet éloge n'est pas aussi surprenant qu'il pourrait le sembler. André Gide s'est plu à répéter que l'attirait surtout le plus éloigné de lui ; et puis, il y a dans le talent si mâle de Zola une puissance qui devait le subjuguer.

pages 85-90 :

ASPECTS DE ZOLA ▶

OLA DES VILLES

... ET ZOLA DES CHAMPS

(avec Pinpin, loulou de Poméranie).

AU BONHEUR DES DAMES.

Au cours des deux années qui suivent la publication de *Pot-Bouille*, paraissent deux autres romans de la série : *Au Bonheur des Dames* (1883) et *La Joie de Vivre* (1884). Tous deux appartiennent eux aussi à la production moyenne, mais le premier est intéressant pour les préoccupations sociales que Zola y témoigne et qui vont au-delà de la morale courante.

L'Assommoir demeurait la dénonciation de l'ivrognerie dans les classes populaires, et chacun pouvait souscrire à ces vues qui n'allaient guère au delà des campagnes de la Croix-Verte. *Au Bonheur des Dames* montre que Zola s'est intéressé de plus près aux questions économiques ; il a lu Fourier, Guesde, Proudhon et Marx. Le socialisme l'attire, et cette doctrine est bien faite pour le séduire puisqu'elle tend comme lui à ramener l'homme à la masse, à mettre en sourdine les valeurs individuelles, et puisqu'elle a foi dans un progrès indéfini, dans la science et dans la technique.

Bien que Zola se soit longtemps défendu d'être un écrivain partisan, toute sa personnalité et sa conception du monde devaient l'amener de façon presque fatale à se rapprocher du socialisme. Cela d'ailleurs ne se fit point sans débats, ainsi qu'en témoigne sa polémique avec Proudhon.

Dans *Au Bonheur des Dames*, la lutte du grand commerce contre les petites boutiques est une thèse constamment sous-jacente, une idée qui court à travers tout le livre. Mais Zola reste encore trop attaché à son art pour que la thèse alourdisse et se soumette le récit — comme il arrivera plus tard, lorsque, dans les œuvres des dernières années, le prophète prendra le pas sur le romancier.

Pour l'instant, la vérité lui suffit. Montrer ce qu'il voit, comme il le voit, n'épargner rien ni personne — tel demeure son impératif.

Athée, scientiste, ayant vécu dans la pauvreté durant des années, ne répugnant pas à montrer les aspects misérables de la vie, Zola devait être le premier romancier à ressentir la fatalité moderne sous la forme du déterminisme économique. Dans son livre, la société anonyme est toute proche, le grand magasin de nouveautés se dresse dans la féerie de ses lumières, cependant qu'autour de lui, dans les petites boutiques noires et désertes, des commerçants se désespèrent.

Le principal personnage du livre, c'est le magasin, que dirige le Méridional Mouret. Et Zola ne se lasse pas de le décrire sous tous ses aspects, selon sa manière — qui est épique.

Voici le « Bonheur des Dames », le jour d'une grande vente. Nouvel aventurier des temps modernes, Mouret joue sa partie la plus risquée.

Mouret se planta, seul et debout, au bord de la rampe du hall. De là, il dominait le magasin, ayant autour de lui les rayons de l'entresol, plongeant sur les rayons du rez-de-chaussée. En haut, le vide lui parut navrant : aux dentelles, une vieille dame faisait fouiller tous les cartons, sans rien acheter ; tandis que trois vauriennes, à la lingerie, choisissaient longuement des cols à dix-huit sous. En bas, sous les galeries couvertes, dans les coups de lumière qui venaient de la rue, il remarqua que les clientes commençaient à être plus nombreuses. C'étaient un lent défilé, une promenade devant les comptoirs, espacée, pleine de trous ; à la mercerie, à la bonneterie, des femmes en camisole se pressaient ; seulement, il n'y avait presque personne au blanc ni aux lainages. Les garçons de magasin, avec leur habit vert dont les larges boutons de cuivre luisaient, attendaient le monde, les mains ballantes. Par moments, passait un inspecteur, l'air cérémonieux, raidi dans sa cravate blanche. Et le cœur de Mouret était surtout serré par la paix morte du hall : le jour y tombait de haut, d'un vitrage aux verres dépolis, qui tamisait la clarté en une poussière blanche, diffuse et comme suspendue, sous laquelle le rayon des soieries semblait dormir, au milieu d'un silence frissonnant de chapelle. Le pas d'un commis, des paroles chuchotées, un frôlement de jupe qui traversait, y mettaient seuls des bruits légers, étouffés dans la chaleur du calorifère. Pourtant, des voitures arrivaient : on entendait l'arrêt brusque des chevaux; puis, des portières se refermaient violemment. Au dehors, montait un lointain brouhaha, des curieux qui se bousculaient en face des vitrines, des fiacres qui stationnaient sur la place Gaillon, toute l'approche d'une foule. Mais, en voyant les caissiers inactifs se renverser derrière leur guichet, en constatant que les tables aux paquets restaient nues, avec leurs boîtes à ficelle et leurs mains de papier bleu, Mouret, indigné d'avoir peur, croyait sentir sa grande machine s'immobiliser et se refroidir sous lui.

Mais peu à peu, Mouret se rassure. Les acheteuses se pressent au « Bonheur des Dames ». Une fois de plus la partie est gagnée.

Depuis longtemps, Mouret n'était plus à l'entresol, debout près de la rampe du hall. Brusquement, il reparut, en haut du grand escalier qui descendait au rez-de-chaussée ; et, de là, il domina encore la maison entière. Son visage se colorait, la foi renaissait et le grandissait, devant le flot de monde qui, peu à peu, emplissait le magasin. C'était enfin la poussée attendue, l'écrasement de l'après-midi, dont il avait un instant désespéré, dans la fièvre ; tous les commis se trouvaient à leur poste, un dernier coup de cloche venait de sonner la fin de la troisième table ; la désastreuse matinée, due sans doute à une averse tombée vers neuf heures, pouvait encore être réparée, car le ciel bleu du matin avait repris sa gaieté de victoire. Maintenant, les rayons de l'entresol s'animaient ; il dut se ranger pour laisser passer les dames qui, par petits groupes, montaient à la lingerie et aux confections ; tandis que, derrière lui, aux dentelles et aux châles, il entendait voler de gros chiffres. Mais la vue des galeries, au rez-de-chaussée, le rassurait surtout : on s'écrasait devant la mercerie, le blanc et les lainages eux-mêmes étaient envahis, le défilé des acheteuses se serrait, presque toutes en chapeau à présent, avec quelques bonnets de ménagères attardées. Dans le hall des soieries, sous la blonde lumière, des dames s'étaient dégantées, pour palper doucement des pièces de Paris-Bonheur, en causant à mi-voix. Et il ne se trompait plus aux bruits qui lui arrivaient du dehors, roulements de fiacres, claquements de portières, brouhaha grandissant de foule. Il sentait, à ses pieds, la machine se mettre en branle, s'échauffer et revivre, depuis les caisses où l'or sonnait, depuis les tables où les garçons de magasins se hâtaient d'empaqueter les marchandises, jusqu'aux profondeurs du sous-sol, au service du départ, qui s'emplissait de paquets descendus, et dont le grondement souterrain faisait vibrer la maison.

. . . .

A la soie, la foule était aussi venue. On s'écrasait surtout devant l'étalage intérieur, dressé par Hutin, et où Mouret avait donné les touches du maître. C'était, au fond du hall, autour d'une des colonnettes de fonte qui soutenaient le vitrage, comme un ruissellement d'étoffe, une nappe bouillonnée tombant de haut et s'élargissant jusqu'au parquet. Des satins clairs et des soies tendres jaillissaient d'abord : les satins à la reine, les satins renaissance, aux tons nacrés d'eau de source ; les soies légères aux transparences de cristal, vert Nil, ciel indien, rose de mai, bleu Danube. Puis, venaient des tissus plus forts, les satins merveilleux, les soies duchesse, teintes chaudes, roulant à flots grossis. Et, en bas, ainsi que dans une vasque, dormaient les étoffes lourdes, les armures façonnées, les damas, les brocarts, les soies perlées et lamées, au milieu d'un lit profond de velours, tous les velours, noirs, blancs, de couleur, frappés à fond de soie ou de satin, creusant avec leurs taches mouvantes un lac immobile où semblaient danser des reflets de ciel et de paysage. Des femmes, pâles de désirs, se penchaient comme pour se voir. Toutes, en face de cette cataracte lâchée, restaient debout, avec la peur sourde d'être prises dans le débordement d'un pareil luxe et avec l'irrésistible envie de s'y jeter et de s'y perdre.

Ce n'était plus chose facile que de gagner l'escalier. Une houle compacte de têtes roulait sous les galeries, s'élargissait en fleuve débordé au milieu du hall. Toute une bataille du négoce montait, les vendeurs tenaient à merci ce peuple de femmes, qu'ils se passaient des uns aux autres, en luttant de hâte. L'heure était venue du branle formidable de l'après-midi, quand la machine surchauffée menait la danse des clientes et leur tirait l'argent de la chair. A la soie surtout, une folie soufflait, le Paris-Bonheur ameutait une foule telle, que, pendant plusieurs minutes, Hutin ne put faire un pas ; et Henriette, suffoquée, ayant levé les yeux, aperçut en haut de l'escalier Mouret, qui venait toujours à cette place, d'où il voyait la victoire. Elle sourit, espérant qu'il descendrait la dégager. Mais il ne la distinguait même pas dans la cohue, il était encore avec Vallagnosc, occupé à lui montrer la maison, la face rayonnante de triomphe. Maintenant, la trépidation intérieure étouffait les bruits du dehors ; on n'entendait plus ni le roulement des fiacres, ni le battement des portières ; il ne restait, au delà du grand murmure de la vente, que le sentiment de Paris immense, d'une immensité qui toujours fournirait des acheteuses. Dans l'air immobile, où l'étouffement du calorifère attiédissait l'odeur des étoffes, le brouhaha augmentait, fait de tous les bruits, du piétinement continu, des mêmes phrases cent fois répétées autour des comptoirs, de l'or sonnant sur le cuivre des caisses assiégées par une bousculade de porte-monnaie, des paniers roulants dont les charges de paquets tombaient sans relâche dans les caves béantes. Et, sous la fine poussière tout arrivait à se confondre, on ne reconnaissait pas la division des rayons ; là-bas, la mercerie paraissait noyée ; plus loin, au blanc, un angle de soleil, entré par la vitrine de la rue Neuve-Saint-Augustin, était comme une flèche d'or dans la neige ; ici, à la ganterie et aux lainages, une masse épaisse de chapeaux et de chignons barrait les lointains du magasin. On ne voyait même plus les toilettes, les coiffures seules surnageaient, bariolées de plumes et de rubans ; quelques chapeaux d'homme mettaient des taches noires, tandis que le teint pâle des femmes, dans la fatigue et la chaleur, prenait des transparences de camélia. Enfin, grâce à ses coudes vigoureux, Hutin ouvrit un chemin à ces dames, en marchant devant elles. Mais, quand elle eut monté l'escalier, Henriette ne trouva plus Mouret, qui venait de plonger Vallagnosc en pleine foule, pour achever de l'étourdir, et pris lui-même du besoin physique de ce bain du succès. Il perdait délicieusement haleine, c'était là contre ses membres comme un long embrassement de toute sa clientèle.

La vente s'achève. Le « Bonheur des Dames » se vide peu à peu de sa foule d'acheteuses. Mouret, ce Napoléon du calicot, domine le terrain sur lequel il vient de vaincre.

Lentement, la foule diminuait. Des volées de cloche, à une heure d'intervalle, avaient déjà sonné les deux premières tables du soir ; la troisième allait être servie, et dans les rayons, peu à peu déserts, il ne restait que des clientes attardées, à qui leur rage de dépense faisait oublier l'heure. Du dehors, ne venaient plus que les roulements des derniers fiacres, au milieu de la voix empâtée de Paris, un ronflement d'ogre repu, digérant les toiles et les draps, les soies et les dentelles, dont on le gavait depuis le matin. A l'intérieur, sous le flamboiement des becs de gaz, qui, brûlant dans le crépuscule, avaient éclairé les secousses suprêmes de la vente, c'était comme un champ de bataille encore chaud du massacre des tissus. Les vendeurs, harassés de fatigue, campaient parmi la débâcle de leurs casiers et de leurs comptoirs, que paraissait avoir saccagés le souffle furieux d'un ouragan. On longeait avec peine les galeries du rez-de-chaussée, obstruées par la débandade des chaises ; il fallait enjamber, à la ganterie, une barricade de cartons, entassés autour de Mignot ; aux lainages, on ne passait plus du tout, Liénard sommeillait au-dessus d'une mer de pièces, où des piles restées debout, à moitié détruites, semblaient des maisons dont un fleuve débordé charrie les ruines ; et plus loin, le blanc avait neigé à terre, on butait contre des banquises de serviettes, on marchait sur les flocons légers des mouchoirs. Mêmes ravages en haut, dans les rayons de l'entresol : les fourrures jonchaient les parquets, les confections s'amoncelaient comme des capotes de soldats mis hors de combat, les dentelles et la lingerie, dépliées, froissées, jetées au hasard, faisaient songer à un peuple de femmes qui se serait déshabillé là, dans le désordre d'un coup de désir ; tandis que, en bas, au fond de la maison, le service du départ, en pleine activité, dégorgeait toujours les paquets dont il éclatait et qu'emportaient les voitures, dernier branle de la machine surchauffée. Mais, à la soie surtout, les clientes s'étaient ruées en masse ; là, elles avaient fait place nette ; on y passait librement, le hall restait nu, tout le colossal approvisionnement du Paris-Bonheur venait d'être déchiqueté, balayé, comme sous un vol de sauterelles dévorantes. Et, au milieu de ce vide, Hutin et Favier feuilletaient leurs cahiers de débit, calculaient leur tant pour cent, essoufflés de la lutte. Favier s'était fait quinze francs. Hutin n'avait pu arriver qu'à treize, battu ce jour-là, enragé de sa mauvaise chance. Leurs yeux s'allumaient de la passion du gain, tout le magasin autour d'eux alignait également des chiffres et flambait d'une même fièvre, dans la gaieté brutale des soirs de carnage.

— Eh bien ! Bourdoncle, cria Mouret, tremblez-vous encore ?

Il était revenu à son poste favori, en haut de l'escalier

de l'entresol, contre la rampe ; et, devant le massacre d'étoffes qui s'étalait sous lui, il avait un rire victorieux. Ses craintes du matin, ce moment d'impardonnable faiblesse que personne ne connaîtrait jamais, le jetait à un besoin tapageur de triomphe. La campagne était donc définitivement gagnée, le petit commerce du quartier mis en pièces, le baron Hartmann conquis, avec ses millions et ses terrains. Pendant qu'il regardait les caissiers penchés sur leurs registres, additionnant les longues colonnes de chiffres, pendant qu'il écoutait le petit bruit de l'or, tombant de leurs doigts dans les sébiles de cuivre, il voyait déjà le Bonheur des Dames grandir démesurément, élargir son hall, prolonger ses galeries jusqu'à la rue du Dix-Décembre.

— Et maintenant, reprit-il, êtes-vous convaincu que la maison est trop petite ?... On aurait vendu le double.

Bourdoncle s'humiliait, ravi du reste d'être dans son tort. Mais un spectacle les rendit graves. Comme tous les soirs, Lhomme, premier caissier de la vente, venait de centraliser les recettes particulières de chaque caisse ; après les avoir additionnées, il affichait la recette totale, en embrochant dans sa pique de fer la feuille où elle était inscrite ; et il montait ensuite cette recette à la caisse centrale, dans un portefeuille et dans des sacs, selon la nature du numéraire. Ce jour-là, l'or et l'argent dominaient, il gravissait lentement l'escalier, portant trois sacs énormes. Privé de son bras droit, coupé au coude, il les serrait de son bras gauche contre sa poitrine, il en maintenait un avec son menton, pour l'empêcher de glisser. Son souffle fort s'entendait de loin, il passait, écrasé et superbe, au milieu du respect des commis.

— Combien, Lhomme ? demanda Mouret.

Le Caissier répondit :

— Quatre-vingt mille sept cent quarante-deux francs dix centimes !

Un rire de jouissance souleva le Bonheur des Dames. Le chiffre courait. C'était le plus gros chiffre qu'une maison de nouveautés eût encore jamais atteint en un jour.

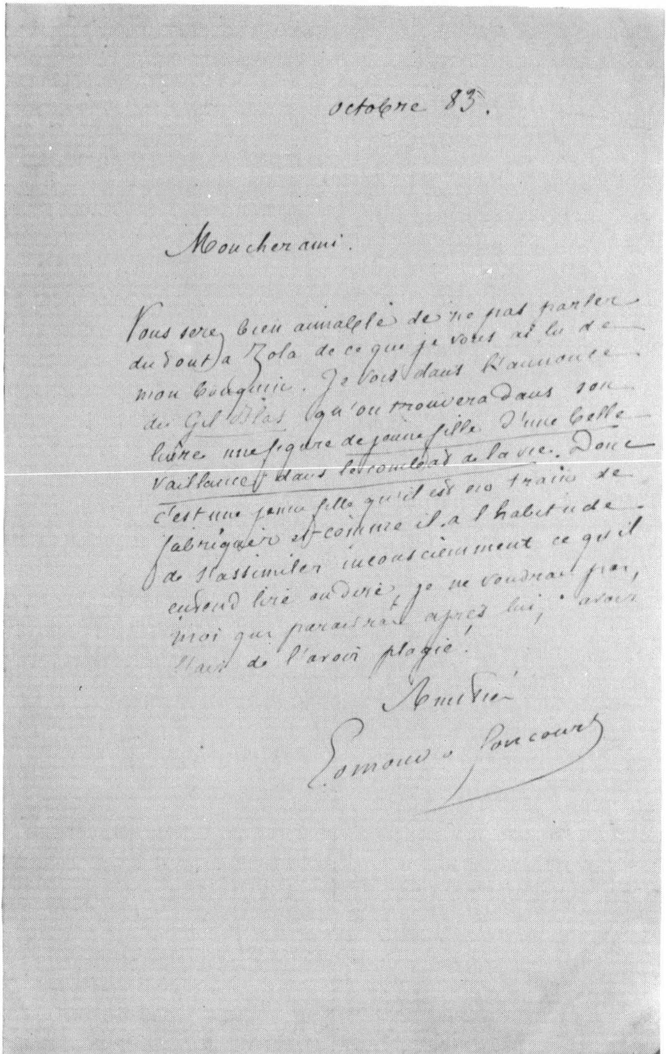
octobre 83.

Mon cher ami.

Vous serez bien aimable de ne pas parler du tout à Zola de ce que je vous ai lu de mon bouquin. Je vois dans l'annonce du Gil Blas qu'on trouvera dans son livre une figure de jeune fille d'une belle vaillance dans les combats de la vie. Donc c'est une jeune fille qu'il est en train de fabriquer et comme il a l'habitude de s'assimiler inconsciemment ce qu'il entend lire ou dire, je ne voudrais pas, moi qui paraîtrai après lui, avoir l'air de l'avoir plagié!

Amitiés

Edmond de Goncourt

Edmond de Goncourt à Henry Céard

GERMINAL.

C'est avec *Germinal* que Zola montrera le mieux à quel point il était destiné à entendre le nouvel évangile socialiste, car c'est alors qu'il entre directement en contact avec le prolétariat industriel, et qu'il va au cœur de la condition ouvrière. Aussi prépare-t-il ce livre avec soin ; il ne se contente plus d'une documentation hâtive, comme cela lui est arrivé pour certains de ses romans, mais il s'en va vivre durant plusieurs mois dans une région minière. Il loge dans les corons, boit de la bière et du genièvre dans les estaminets, descend dans un puits, observe son modèle au travail, assiste aux mises aux enchères des galeries, et voit les mineurs, que la Compagnie met en concurrence, abaisser centime par centime le prix de la berline, par crainte du chômage.

Il se familiarise avec les petites maisons des corons, aux cloisons si minces qu'elles laissent passer tous les bruits provenant des familles voisines. Il se renseigne sur les maladies que provoque le travail de la mine, sur les salaires, sur les méthodes de travail, il apprend comment on boise une galerie, comment on pousse une berline, il observe les mineurs accroupis dans la veine, tandis que la poussière de charbon emplit l'air, et que l'eau ruisselle des parois. Pour la première fois il mesure ce qu'est la peine des hommes.

Et, là encore, Zola innove, en joignant le reportage au roman, en prenant comme héros de son œuvre un corps de métier. En effet, par delà un groupe de personnages qui sont au premier plan, le véritable héros de *Germinal* c'est la foule des mineurs : c'est elle qui emplit les pages du livre, qui lui donne puissance et grandeur. Le chœur de la tragédie antique reparaît dans le roman le plus moderne, il y retrouve l'importance qu'il avait chez Eschyle.

Peut-être n'a-t-on pas assez dit à quel point les moyens de Zola, sa perception visuelle, sa façon de penser par images, le rapprochent d'un metteur en scène et donnent à la plupart de ses romans l'allure de films. Pour *Germinal* il utilise le triple écran.

Pourtant, ici encore, Émile Zola n'idéalisera pas son modèle ; il laissera parler les faits. En face des ouvriers, il place les ingénieurs, un actionnaire, le propriétaire d'une petite mine, mais avec le même souci d'équité. Rien ne ressemble moins à une œuvre de propagande que *Germinal*, ce qui ajoute à la force de persuasion, car il suffisait de montrer la condition prolétarienne de cette époque dans les charbonnages pour ébranler les consciences. *Germinal* c'est l'affaire Dreyfus de la classe ouvrière.

Émile Zola, dès qu'il projette d'écrire ce livre, sent qu'il est en présence d'un grand sujet ; l'immensité de la tâche ne l'effraie pas, sa méthode de travail a fait ses preuves. En fonctionnaire de la littérature, il rassemblera ses matériaux ; en artiste, il fera passer en eux le souffle de la vie.

Le sujet de *Germinal* est épique, Zola ne lui sera pas inférieur. L'ampleur de ce qu'il entreprend, loin de l'inquiéter, lui communique une force neuve. Il n'ignore pas que, une fois encore, il devra nourrir cette œuvre de sa substance, que cela n'ira pas sans tourments, qu'il commencera sa tâche, certains matins, la bouche amère, avec lassitude ; mais il sait aussi que, passé cet effort de mise en train, sa seule joie viendra de son travail, que nulle autre ne saurait lui être comparée. Et, par un merveilleux retour des choses, cette inspiration qu'il dédaigne, en laquelle il croit à peine, voici qu'elle court en lui avec une abondance rare ; l'écriture maladroite finit par atteindre au grand style par l'ampleur de la vision. Car jamais œuvre ne fut plus virile que celle de Zola ; il semblerait que rien n'est en elle la part des dieux, mais qu'elle est d'un bout à l'autre une conquête durement payée.

Son père lui a légué un haut exemple : il n'a jamais construit de palais, ni de « folies », mais des canaux, des bâtiments solides. Plus ingénieur qu'architecte, François Zola s'est servi de matériaux grossiers, mais il l'a fait avec un courage, une ténacité que rien n'a rebutés. Pour réaliser son projet de canal il a dû vaincre mille difficultés, et il les a emportées toutes, une à une. La puissance de son fils c'est aussi l'obstination et le courage. Dans l'œuvre qu'il a entreprise, il sait que la quantité sera partie intrinsèque de la valeur, que c'est l'ensemble qui devra être jugé et non pas telle réussite qui, pour lui, n'est qu'un détail de l'architecture totale. D'un seul regard il a vu la construction entière, de même que son père voyait sur l'épure le canal coulant dans la campagne aixoise.

Les notations de Zola pour nous montrer la peine des mineurs sont courtes, ce sont toujours les mêmes qui reviennent : la goutte qui filtre de la galerie et frappe avec une régularité exaspérante le visage de l'ouvrier, la difficulté de pousser une berline dans un couloir étroit. Plus que la peine du mineur, on trouve dans *Germinal* ce qui a étonné le romancier au cours de sa visite. Sa plus vive impression fut celle à quoi l'on pouvait s'attendre : la plongée dans les ténèbres. Émile Zola revient souvent là-dessus et, parce que sa réaction fut vive, il décrit avec force la descente des cages. Mais il est admirable quand il nous montre l'armée ouvrière courant dans la campagne pendant la grève ; ce roulement de sabots fait trembler le monde.

Les barricades des *Misérables* font songer à des constructions intellectuelles ; ceux qui les défendent sont de jeunes bavards qui discutent de philosophie avant de se faire tuer. Dans *Germinal*, la haine vient des profondeurs animales, l'injustice pousse ces hommes et ces femmes droit devant eux, à la pointe de son aiguillon. Mais ce n'est pas une injustice abstraite ; on ne réfléchit pas, ici : c'est le troupeau qui s'élance et brise tout sur son passage ; la violence est dans les corps qui ont souffert et veulent se libérer, fût-ce en détruisant tout. Hugo nous montre une révolte, Zola une révolution.

Pourtant, une fois de plus, Zola n'a pas fait œuvre de partisan ; le romancier demeure lucide, il ne s'est pas encore transformé en prophète. Il n'y a point dans *Germinal* les bons et les méchants, mais une énorme machinerie industrielle qui exploite l'homme, une force abstraite qui le broie. Quels liens pourrait-il y avoir, en effet, entre ceux qui, dans une ville lointaine, touchent des dividendes, et ces mineurs que la faim, la souffrance, l'injustice rendent fous ? Tout rapport humain est aboli, nous sommes dans l'abstraction pure.

Allant du particulier au général, de l'ensemble au détail, Zola nous montre la vie des mineurs sous tous ses aspects, fût-ce les plus humbles, qui ne sont pas les moins émouvants : la kermesse, les amours sur les terrils, les petits drames du crédit que l'on sollicite de l'épicier, les querelles des maisons noires des corons, l'entassement des parents et des enfants dans un logement trop étroit. L'inventaire, dans *Germinal*, est complet.

Et l'intuition du romancier fait que Zola pressent l'un des problèmes les plus graves de la révolution : celui de l'inégalité renaissante, — phénix vivant au cœur des flammes de la révolte, et prêt à s'élancer sur le monde dans sa forme éternelle.

Étienne, le chef révolutionnaire, âme de la grève, rêve à son avenir, et se voit déjà au Parlement, parlant au nom de sa classe ; mais, déjà, ce seul rêve l'isole de ceux qu'il se propose de défendre. Ce n'est plus un ouvrier qui rêve, c'est un chef. On sent le glissement qui s'amorce en lui, les perspectives nouvelles qu'il entrevoit, l'ambition dont il éprouve la morsure.

Ce Julien Sorel de la classe ouvrière, ce n'est pas le noir qu'il choisit, lui non plus, mais le rouge. Ou plutôt il n'a pas le choix ; aucune pourpre ne le mènerait plus sûrement à la puissance. C'est ce qu'il sent confusément, — instrument encore, mais bien près d'agir pour son compte, tout en parlant au nom des autres. L'écart entre lui et ses camarades est déjà indiqué, faible encore, à peine perceptible pour celui-là même qui rêve, mais bien réel pourtant ; faille par où l'injustice s'apprête à paraître, à imposer une nouvelle hiérarchie qui se substituera à celle qu'on se propose d'abattre.

Et c'est celui que ses adversaires ont accusé d'être un primaire, un psychologue à courte-vue, qui fait, en passant, une découverte d'une telle importance ! Si capitale, qu'elle éclaire jusque dans sa profondeur le problème le plus actuel et le plus grave qui se pose à nous.

C'est le 25 janvier 1885 que Zola avait envoyé à Charpentier la bonne nouvelle :

Enfin, mon bon ami, Germinal *est terminé ! Je vous en envoie les deux derniers chapitres, et je vous prie de m'écrire deux lignes, pour me dire que vous les avez reçus, ce qui me tranquillisera. Veuillez prier l'imprimerie de me composer et de m'envoyer cette fin tout de suite, car mes traducteurs se fâchent et je veux me débarrasser des placards avant de rentrer à Paris.*

La longueur de ce sacré bouquin me désespère pour vous. Nous dépasserons seize feuilles.

Et rien d'autre, si ce n'est que je suis enchanté. Ah ! que j'ai besoin « d'un peu de paresse » !

Malgré ce bulletin de victoire, il n'allait pas goûter longtemps la tranquillité. Lors de la publication de *L'Assommoir*, on lui avait reproché de calomnier les ouvriers ; on reprend cette accusation à propos de *Germinal*, en y mêlant, il est vrai, des accusations d'un tout autre ordre. C'est au sujet des unes et des autres que Zola écrit à Francis Magnard, le 4 avril 1885 :

Je lis ce matin l'article de M. Henry Duhamel. Il me reproche d'avoir imaginé une femme travaillant au fond de la mine, lorsque lui-même établit que jusqu'en 1874 le fait a eu lieu en France, comme il a lieu encore aujourd'hui en Belgique. Or, mon roman se passe de 1866 à 1869. Dès lors, n'étais-je pas libre d'utiliser le fait existant pour les nécessités de mon drame ? Il prétend, il est vrai, que le roman n'a pas sa vraie date, que ma grève est la grève qui a éclaté l'année dernière à Anzin. C'est là une erreur profonde, et il suffit de lire : j'ai pris et résumé toutes les grèves qui ont ensanglanté la fin de l'empire, vers 1869, particulièrement celles d'Aubin et de La Ricamarie. On n'a qu'à se reporter aux journaux de l'époque. Au demeurant, puisque M. Duhamel accorde que deux cents femmes descendaient encore en 1868, il me semble que j'avais bien le droit d'en faire descendre au moins une en 1866.

Même réponse au sujet des salaires. Nous sommes vers la fin de l'Empire, et en temps de crise industrielle. J'affirme que les salaires, à ce moment, étaient bien ceux que j'ai indiqués. J'ai entre les mains les preuves, qu'il serait trop long de donner ici.

Mais j'arrive à la fameuse accusation d'avoir traité les mineurs comme un ramassis d'ivrognes et de débauchés. M. Duhamel défend la propreté et la moralité des corons. Je ne puis que le renvoyer à mon livre. J'ai dit que les corons étaient tenus par les ménagères avec une propreté flamande, sauf les exceptions : voilà pour le reproche de saleté exagéré.

Quant à la promiscuité, à l'immoralité qui tient aux conditions mêmes de l'existence, j'ai dit que sur dix filles, six épousaient leurs amants, quand elles étaient mères ; et j'ai dit encore que, dans les ménages où l'on prenait un pensionnaire, un « logeur », il arrivait une fois sur deux que l'aventure tournât au ménage à trois. Telle est la vérité, que je maintiens. Qu'on ne me contredise pas avec des raisons sentimentales ; qu'on veuille bien consulter les statistiques, se renseigner sur les lieux ; et l'on verra si j'ai menti.

Hélas ! j'ai atténué. La misère sera bien près d'être soulagée, le jour où l'on se décidera à la connaître dans ses souffrances et dans ses hontes. On m'accuse de fantaisie ordurière et de mensonge prémédité sur de pauvres gens, qui m'ont empli les yeux de larmes. A chaque accusation je pourrais répondre par un document.

Voici le passage de *Germinal* qui nous fait assister à la mise aux enchères des tailles.

Dès le soir, ils retournèrent ensemble à la fosse prendre connaissance des affiches. Les tailles mises aux enchères se trouvaient à la veine Filonnière, dans la galerie Nord du Voreux. Elles semblaient peu avantageuses, le mineur hochait la tête à la lecture que le jeune homme faisait des conditions. En effet, le lendemain, quand ils furent descendus et qu'il l'eût emmené visiter la veine, il lui fit remarquer l'éloignement de l'accrochage, la nature ébouleuse du terrain, le peu d'épaisseur et la dureté du charbon. Pourtant, si l'on voulait manger, il fallait travailler. Aussi, le dimanche suivant, allèrent-ils aux enchères, qui avaient lieu dans la baraque, et que l'ingénieur de la fosse, assisté du maître-porion, présidait, en l'absence de l'ingénieur divisionnaire. Cinq à six cents charbonniers se trouvaient là, en face de la petite estrade, plantée dans un coin ; et les adjudications marchaient d'un tel train, qu'on entendait seulement un sourd tumulte de voix, des chiffres criés, étouffés par d'autres chiffres.

Un instant, Maheu eut peur de ne pouvoir obtenir un des quarante marchandages offerts par la compagnie. Tous les concurrents baissaient, inquiets des bruits de crise, pris de la panique du chômage. L'ingénieur Négrel ne se pressait pas devant cet acharnement, laissait tomber les enchères aux plus bas chiffres possibles, tandis que Danaert, désireux de hâter encore les choses, mentait sur l'excellence des marchés. Il fallut que Maheu, pour avoir ses cinquante mètres d'avancement, luttât contre un camarade, qui s'obstinait, lui aussi ; à tour de rôle, ils retiraient chacun un centime de la berline ; et, s'il demeura vainqueur, ce fut en abaissant tellement le salaire, que le porion Richomme, debout derrière lui, se fâchait entre ses dents, le poussait du coude, en grognant avec colère que jamais il ne s'en tirerait, à ce prix-là.

Quand ils sortirent, Étienne jurait. Et il éclata devant Chaval, qui revenait des blés en compagnie de Catherine, flânant, pendant que le beau-père s'occupait des affaires sérieuses.

— Nom de Dieu ! cria-t-il, en voilà un égorgement !... Alors aujourd'hui, c'est l'ouvrier qu'on force à manger l'ouvrier !

Chaval s'emporta, jamais il n'aurait baissé, lui ! Et Zacharie, venu par curiosité, déclara que c'était dégoûtant. Mais Étienne les fit taire d'un geste de sourde violence.

— Ça finira, nous serons les maîtres un jour !

Maheu, resté muet depuis les enchères, parut s'éveiller. Il répéta :

— Les maîtres... Ah ! foutu sort ! ce ne serait pas trop tôt !

Et voici le jour de paye aux Chantiers de la Compagnie. La foule des mineurs attend devant la porte du petit bureau du caissier ; à l'appel de leurs noms, ils entrent par groupes dans le bureau pour recevoir leur salaire de la quinzaine.

C'est le tour de Maheu.

— Maheu et consorts, dit le commis, veine Filonnière, taille numéro sept.

Il cherchait sur les listes, que l'on dressait en dépouillant les livrets, où les porions, chaque jour et par chantier, relevaient le nombre des berlines extraites. Puis, il répéta :

— Maheu et consorts, veine Filonnière, taille numéro sept... Cent trente-cinq francs.

Le caissier paya.

— Pardon, Monsieur, balbutia le haveur saisi, êtes-vous sûr de ne pas vous tromper ?

Il regardait ce peu d'argent, sans le ramasser, glacé d'un petit frisson qui lui coulait au cœur. Certes, il s'attendait à une paye mauvaise, mais elle ne pouvait se réduire à si peu, ou il devait avoir mal compté. Lorsqu'il aurait remis leur part à Zacharie, à Étienne et à l'autre camarade qui remplaçait Chaval, il lui resterait au plus cinquante francs pour lui, son père, Catherine et Jeanlin.

— Non, non, je ne me trompe pas, reprit l'employé. Il faut enlever deux dimanches et quatre jours de chômage : donc, ça vous fait neuf jours de travail.

Maheu suivait ce calcul, additionnait tout bas : neuf jours donnaient à lui environ trente francs, dix-huit à Catherine, neuf à Jeanlin. Quant au père Bonnemort, il n'avait travaillé que trois journées. N'importe, en ajoutant les quatre-vingt-dix francs de Zacharie et des deux camarades, ça faisait sûrement davantage.

— Et n'oubliez pas les amendes, acheva le commis. Vingt francs d'amendes pour boisages défectueux.

Le haveur eut un geste désespéré. Vingt francs d'amendes, quatre journées de chômage ! Alors, le compte y était. Dire qu'il avait rapporté jusqu'à des quinzaines de cent cinquante francs, lorsque le père Bonnemort travaillait et que Zacharie n'était pas encore en ménage !

— A la fin, le prenez-vous ? cria le caissier impatienté. Vous voyez bien qu'un autre attend... Si vous n'en voulez pas, dites-le.

Comme Maheu se décidait à ramasser l'argent de sa grosse main fébrile, l'employé le retint.

— Attendez, j'ai là votre nom. Toussaint Maheu, n'est-ce pas ?... M. le secrétaire général désire vous parler. Entrez, il est seul.

Étourdi, l'ouvrier se trouva dans un cabinet, meublé de vieil acajou, tendu de reps vert déteint. Et il écouta pendant cinq minutes le secrétaire général, un grand monsieur blême, qui lui parlait par-dessus les papiers de son bureau, sans se lever. Mais le bourdonnement de ses oreilles l'empêchait d'entendre. Il comprit vaguement qu'il était question de son père, dont la retraite allait être mise à l'étude, pour la pension de cent cinquante francs, cinquante ans d'âge et quarante années de service. Puis, il lui sembla que la voix du secrétaire devenait plus dure. C'était une réprimande, on l'accusait de s'occuper de politique, une allusion fut faite à son logeur et à la caisse de prévoyance ; enfin, on lui conseillait de ne pas se compromettre dans ces folies, lui qui était un des meilleurs ouvriers de la fosse. Il voulut protester, ne put prononcer que des mots sans suite, tordit sa casquette entre ses doigts fébriles, et se retira en bégayant.

— Certainement, M. le Secrétaire... J'assure à M. le Secrétaire...

Dehors, quand il eut retrouvé Étienne qui l'attendait, il éclata.

— Je suis un jean-foutre, j'aurais dû répondre !... Pas de quoi manger du pain, et des sottises encore ! Oui, c'est contre toi qu'il en a, il m'a dit que le coron était empoisonné... Et quoi faire ? nom de Dieu ! plier l'échine, dire merci. Il a raison, c'est le plus sage.

Maheu se tut, travaillé à la fois de colère et de crainte. Étienne songeait d'un air sombre. De nouveau, ils traversèrent les groupes qui barraient la rue. L'exaspération croissait, une exaspération de peuple, calme, un murmure grondant d'orage, sans violence de gestes, terrible au-dessus de cette masse lourde. Quelques têtes sachant compter avaient fait le calcul, et les deux centimes gagnés par la Compagnie sur les bois circulaient, exaltaient les crânes les plus durs. Mais c'était surtout l'enragement de cette paye désastreuse, la révolte de la faim, contre le chômage et les amendes. Déjà on ne mangeait plus, qu'allait-on devenir, si l'on baissait encore les salaires ? Dans les estaminets, on se fâchait tout haut, la colère séchait tellement les gosiers que le peu d'argent touché restait sur les comptoirs.

De Montsou au coron, Étienne et Maheu n'échangèrent pas une parole. Lorsque ce dernier entra, la Maheude, qui était seule avec les enfants, remarqua tout de suite qu'il avait les mains vides.

— Eh bien ! tu es gentil, dit-elle. Et mon café, et mon sucre, et la viande ? Un morceau de veau ne t'aurait pas ruiné.

Il ne répondait point, étranglé d'une émotion qu'il renfonçait. Puis, dans ce visage épais d'homme durci aux travaux des mines, il y eut un gonflement de désespoir, et de grosses larmes crevèrent des yeux, tombèrent en pluie chaude. Il s'était abattu sur une chaise, il pleurait comme un enfant, en jetant les cinquante francs sur la table.

— Tiens, bégaya-t-il, voilà ce que je t'apporte... C'est notre travail à tous.

La Maheude regarda Étienne, le vit muet et accablé. Alors, elle pleura aussi. Comment faire vivre neuf personnes, avec cinquante francs pour quinze jours ? Son aîné les avait quittés, le vieux ne pouvait plus remuer les jambes : c'était la mort bientôt. Alzire se jeta au cou de sa mère, bouleversée de l'entendre pleurer. Estelle hurlait, Lénore et Henri sanglotaient.

Et, du coron entier, monta bientôt le même cri de misère. Les hommes étaient rentrés, chaque ménage se lamentait devant le désastre de cette paye mauvaise. Des portes se rouvrirent, des femmes parurent, criant au dehors, comme si leurs plaintes n'eussent pu tenir sous les plafonds des maisons closes. Une pluie fine tombait, mais elles ne la sentaient pas, elles s'appelaient sur les trottoirs, elles se montraient, dans le creux de leur main, l'argent touché.

— Regardez ! ils lui ont donné ça, n'est-ce pas se foutre du monde ?

— Moi, voyez ! je n'ai seulement pas de quoi payer le pain de la quinzaine.

— Et moi donc ! comptez un peu, il me faudra encore vendre mes chemises.

La Maheude était sortie comme les autres. Un groupe se forma autour de la Levaque, qui criait le plus fort ; car son soûlard de mari n'avait pas même reparu, elle devinait que, grosse ou petite, la paie allait se fondre au Volcan. Philomène guettait Maheu, pour que Zacharie n'entamât point la monnaie. Et il n'y avait que la Pierronne qui semblât assez calme, ce cafard de Pierron s'arrangeant toujours, on ne savait comment, de manière à avoir, sur le livret du porion, plus d'heures que les camarades. Mais la Brûlé trouvait ça lâche de la part de son gendre, elle était avec celles qui s'emportaient, maigre et droite au milieu du groupe, le poing tendu vers Montsou.

— Dire, cria-t-elle sans nommer les Hennebeau, que j'ai vu, ce matin, leur bonne passer en calèche !... Oui, la cuisinière dans la calèche à deux chevaux, allant à Marchiennes pour avoir du poisson, bien sûr !

Une clameur monta, les violences recommencèrent. Cette bonne en tablier blanc, menée au marché de la ville voisine dans la voiture des maîtres, soulevait une indignation. Lorsque les ouvriers crevaient de faim, il leur fallait donc du poisson quand même ? Ils n'en mangeraient peut-être pas toujours, du poisson : le tour du pauvre monde viendrait. Et les idées semées par Étienne poussaient, s'élargissaient dans ce cri de révolte. C'était l'impatience devant l'âge d'or promis, la hâte d'avoir sa part du bonheur, au-delà de cet horizon de misère, fermé comme une tombe. L'injustice devenait trop grande, ils finiraient par exiger leur droit, puisqu'on leur retirait le pain de la bouche. Les femmes surtout auraient voulu entrer d'assaut, tout de suite, dans cette cité idéale du progrès, où il n'y aurait plus de misérables. Il faisait presque nuit, et la pluie redoublait, qu'elles emplissaient encore le coron de leurs larmes, au milieu de la débandade glapissante des enfants.

Le soir, à l'Avantage, la grève fut décidée. Rasseneur ne la combattait plus, et Souvarine l'acceptait comme un premier pas. D'un mot, Étienne résuma la situation : si elle voulait décidément la grève, la Compagnie aurait la grève.

La grève est déclarée ; les mineurs affamés tiennent depuis quinze jours. Étienne est à l'origine de la résistance de ses camarades, et déjà l'ambition commence à le gagner ; la puissance que lui donne son rôle de chef le grise.

Désormais, Étienne était le chef incontesté. Dans les conversations du soir, il rendait des oracles, à mesure que l'étude l'affinait et le faisait trancher en toutes choses. Il passait les nuits à lire, il recevait un nombre plus grand de lettres ; même il s'était abonné au Vengeur, *une feuille socialiste de Belgique, et ce journal, le premier qui entrait dans le coron, lui avait attiré de la part des camarades, une considération extraordinaire. Sa popularité croissante le surexcitait chaque jour davantage. Tenir une correspondance étendue, discuter du sort des travailleurs aux quatre coins de la province, donner des consultations aux mineurs du Voreux, surtout, devenir un centre, sentir le monde rouler autour de soi, c'était un continuel gonflement de vanité, pour lui, l'ancien mécanicien, le haveur aux mains grasses et noires. Il montait d'un échelon, il entrait dans cette bourgeoisie exécrée, avec des satisfactions d'intelligence et de bien-être, qu'il ne s'avouait pas. Un seul malaise lui restait, la conscience de son manque d'instruction, qui le rendait embarrassé et timide, dès qu'il se trouvait devant un monsieur en redingote. S'il continuait à s'instruire, dévorant tout, le manque de méthode rendait l'assimilation très lente, une telle confusion se produisait qu'il finissait par savoir des choses qu'il n'avait pas comprises. Aussi, à certaines heures de bon sens, éprouvait-il une inquiétude sur sa mission, la peur de n'être point l'homme attendu. Peut-être aurait-il fallu un avocat, un savant capable de parler et d'agir, sans compromettre les camarades ? Mais une révolte le remettait bientôt d'aplomb. Non, non, pas d'avocats ! tous sont des canailles, ils profitent de leur science pour s'engraisser avec le peuple ! Ça tournerait comme ça tournerait, les ouvriers devaient faire leurs affaires entre eux. Et son rêve de chef populaire le berçait de nouveau : Montsou à ses pieds, Paris dans un lointain de brouillard, qui sait, la députation un jour, la tribune d'une salle riche, où il se voyait foudroyant les bourgeois du premier discours prononcé par un ouvrier dans un Parlement.*

Mais l'ordre de grève n'est pas partout suivi ; dans quelques puits les mineurs ont repris le travail. Au cours d'une réunion tenue la veille, les ouvriers en grève ont décidé qu'ils empêcheraient leurs camarades de travailler, en coupant les câbles des cages qui permettent de remonter du puits.

Tout d'un coup, un garçon passa en criant :

— On coupe les câbles ! on coupe les câbles !

Alors, la panique souffla. Ce fut un galop furieux au travers des voies obscures. Les têtes se perdaient. A propos de quoi coupait-on les câbles ? et qui les coupait, lorsque les hommes étaient au fond ? Cela paraissait monstrueux.

Mais la voix d'un autre porion éclata, puis se perdit.

— Ceux de Montsou coupent les câbles ! Que tout le monde sorte !

Quand il eut compris, Chaval arrêta net Catherine. L'idée qu'il rencontrerait là-haut ceux de Montsou, s'il sortait, lui engourdissait les jambes. Elle était donc venue, cette bande qu'il croyait aux mains des gendarmes ! Un instant, il songea à rebrousser chemin et à remonter par Gaston-Marie ; mais la manœuvre ne s'y faisait plus. Il jurait, hésitant, cachant sa peur, répétant que c'était bête de courir comme ça. On n'allait pas les laisser au fond, peut-être !

La voix du porion retentit de nouveau, se rapprocha.

— Que tout le monde sorte ! Aux échelles ! aux échelles !

Et Chaval fut emporté avec les camarades. Il bouscula Catherine, il l'accusa de ne pas courir assez fort. Elle voulait donc qu'ils restassent seuls dans la fosse, à crever de faim, car les brigands de Montsou étaient capables de casser les échelles, sans attendre que le monde fût sorti. Cette supposition abominable acheva de les détraquer tous, il n'y eut plus, le long des galeries, qu'une débandade enragée, une course de fous à qui arriverait le premier pour remonter avant les autres. Des hommes criaient que les échelles étaient cassées, que personne ne sortirait. Et, quand ils commencèrent à déboucher par groupes épouvantés dans la salle d'accrochage, ce fut un véritable engouffrement : ils se jetaient vers le puits, ils s'écrasaient à l'étroite porte du goyot des échelles ; tandis qu'un vieux palefrenier, qui venait prudemment de faire rentrer les chevaux à l'écurie, les regardait d'un air de dédaigneuse insouciance, habitué aux nuits passées dans la fosse, certain qu'on le tirerait toujours de là.

— Nom de Dieu ! veux-tu monter devant moi ! dit Chaval à Catherine. Au moins, je te tiendrai, si tu tombes.

Ahurie, suffoquée par cette course de trois kilomètres qui l'avait encore une fois trempée de sueur, elle s'abandonnait, sans comprendre, aux remous de la foule. Alors, il la tira par le bras, à le lui briser ; et elle jeta une plainte, ses larmes jaillirent : déjà il oubliait son serment, jamais elle ne serait heureuse.

— Passe donc ! hurla-t-il.

Mais il lui faisait trop peur. Si elle montait devant lui, tout le temps il la brutaliserait. Aussi résistait-elle, pendant que le flot éperdu des camarades les repoussait de côté. Les filtrations du puits tombaient à grosses gouttes, et le plancher de l'accrochage, ébranlé par le piétinement, tremblait au-dessus du bougnou, du puisard vaseux, profond de dix mètres. Justement, c'était à Jean-Bart, deux ans plut tôt, qu'un terrible accident, la rupture d'un câble, avait culbuté la cage au fond du bougnou, dans lequel deux hommes s'étaient noyés. Et tous y songeaient, on allait tous y rester, si l'on s'entassait sur les planches.

— Sacrée tête de pioche ! cria Chaval, crève donc, je serai débarrassé !

Il monta, et elle le suivit.

Du fond au jour, il y avait cent deux échelles, d'environ sept mètres, posées chacune sur un étroit palier qui tenait la largeur du goyot, et dans lequel un trou carré permettait à peine le passage des épaules. C'était comme une cheminée plate, de sept cents mètres de hauteur, entre la paroi du puits et la cloison du compartiment d'extraction, un boyau humide, noir et sans fin, où les échelles se superposaient, presque droites, par étages réguliers. Il fallait vingt-cinq minutes à un homme solide pour gravir cette colonne géante. D'ailleurs, le goyot ne servait plus que dans les cas de catastrophe.

Catherine, d'abord, monta gaillardement. Ses pieds nus étaient faits à l'écaillage tranchant des voies et ne souffraient pas des échelons carrés, recouverts d'une tringle de fer, qui empêchait l'usure. Ses mains, durcies par le roulage, empoignaient sans fatigue les montants, trop gros pour elles. Et même cela l'occupait, la sortait de son chagrin, cette montée imprévue, ce long serpent d'hommes se coulant, se hissant, trois par échelle, si bien que la tête déboucherait au jour, lorsque la queue traînerait encore sur le bougnou. On n'en était pas là, les premiers devaient se trouver à peine au tiers du puits. Personne ne parlait plus, seuls les pieds roulaient avec un bruit sourd : tandis que les lampes, pareilles à des étoiles voyageuses, s'espaçaient de bas en haut, en une ligne toujours grandissante.

Derrière elle, Catherine entendit un galibot compter les échelles. Cela lui donna l'idée de les compter aussi. On en avait déjà monté quinze, et l'on arrivait à un accrochage. Mais, au même instant, elle se heurta dans les jambes de Chaval. Il jura, en lui criant de faire attention. De proche en proche, toute la colonne s'arrêtait, s'immobilisait. Quoi donc ? que se passait-il ? et chacun retrouvait sa voix pour questionner et s'épouvanter. L'angoisse augmentait depuis le fond, l'inconnu de là-haut les étranglait davantage, à mesure qu'ils se rapprochaient du jour. Quelqu'un annonça qu'il fallait redescendre, que les échelles étaient cassées. C'était la préoccupation de tous, la peur de se trouver devant le vide. Une autre explication descendit de bouche en bouche, l'accident d'un haveur glissé d'un échelon. On ne savait au juste, des cris empêchaient d'entendre, est-ce qu'on allait coucher là ? Enfin, sans qu'on fût mieux renseigné, la montée reprit, du même mouvement lent et pénible, au milieu du roulement des pieds et de la danse des lampes. Ce serait pour plus haut, bien sûr, les échelles cassées.

A la trente-deuxième échelle, comme on dépassait un troisième accrochage, Catherine sentit ses jambes et ses bras se raidir. D'abord, elle avait éprouvé à la peau des picotements légers. Maintenant, elle perdait la sensation du fer et du bois, sous les pieds et dans les mains. Une douleur vague, peu à peu cuisante, lui chauffait les muscles. Et, dans l'étourdissement qui l'envahissait, elle se rappelait les histoires du grand-père Bonnemort, du temps qu'il n'y avait pas de goyot et que des gamines de dix ans sortaient le charbon sur leurs épaules, le long des échelles plantées à nu ; si bien que, lorsqu'une d'elles glissait, ou que simplement un morceau de houille déboulait d'un panier, trois ou quatre enfants dégringolaient du coup, la tête en bas. Les crampes de ses membres devenaient insupportables, jamais elle n'irait au bout.

De nouveaux arrêts lui permirent de respirer. Mais la terreur qui, chaque fois, soufflait d'en haut, achevait de l'étourdir. Au-dessus et au-dessous d'elle, les respirations s'embarrassaient, un vertige se dégageait de cette ascension interminable, dont la nausée la secouait avec les autres. Elle suffoquait, ivre de ténèbres, exaspérée de l'écrasement des parois contre sa chair. Et elle frissonnait aussi de l'humidité, le corps en sueur sous les grosses gouttes qui la trempaient. On approchait du niveau, la pluie battait si fort, qu'elle menaçait d'éteindre les lampes.

Deux fois, Chaval interrogea Catherine, sans obtenir de réponse. Que fichait-elle là-dessous, est-ce qu'elle avait laissé tomber sa langue ? Elle pouvait bien lui dire si elle tenait bon. On montait depuis une demi-heure ; mais si lourdement, qu'il en était seulement à la cinquante-neuvième échelle. Encore quarante-trois. Catherine finit par bégayer qu'elle tenait bon tout de même. Il l'aurait traitée de couleuvre, si elle avait avoué sa lassitude. Le fer des échelons devait lui entamer les pieds, il lui semblait qu'on la sciait là, jusqu'à l'os. Après chaque brassée, elle s'attendait à voir ses mains lâcher les montants, pelées et roidies au point de ne pouvoir fermer les doigts ; et elle croyait tomber en arrière, les épaules arrachées, les cuisses démanchées, dans leur continuel effort. C'était surtout du peu de pente des échelles qu'elle souffrait, de cette plantation presque droite, qui l'obligeait de se hisser à la force des poignets, le ventre collé contre le bois. L'essoufflement des haleines à présent couvrait le roulement des pas, un râle énorme, décuplé par la cloison du goyot, s'élevait du fond, expirait au jour. Il y eut un gémissement, des mots coururent, un galibot venait de s'ouvrir le crâne à l'arête d'un palier.

Et Catherine montait. On dépassa le niveau. La pluie avait cessé, un brouillard alourdissait l'air de cave, empoisonné d'une odeur de vieux fers et de bois humide. Machinalement, elle s'obstinait tout bas à compter : quatre-vingt-une, quatre-vingt-deux, quatre-vingt-trois ; encore dix-neuf.

Ces chiffres, répétés, la soutenaient seuls de leur balancement rythmique. Elle n'avait plus conscience de ses mouvements. Quand elle levait les yeux, les lampes tournoyaient en spirale. Son sang coulait, elle se sentait mourir, le moindre souffle allait la précipiter. Le pis était que ceux d'en bas poussaient maintenant, et que la colonne entière se ruait, cédant à la colère croissante de sa fatigue, au besoin furieux de revoir le soleil. Des camarades, les premiers, étaient sortis ; il n'y avait donc pas d'échelles cassées ; mais l'idée qu'on pouvait en casser encore, pour empêcher les derniers de sortir, lorsque d'autres respiraient déjà là-haut, achevait de les rendre fous. Et, comme un nouvel arrêt se produisait, des jurons éclatèrent, tous continuèrent à monter, se bousculant, passant sur les corps à qui arriverait quand même.

Alors, Catherine tomba. Elle avait crié le nom de Chaval, dans un appel désespéré. Il n'entendit pas, il se battait, il enfonçait les côtes d'un camarade, à coups de talon, pour être avant lui. Et elle fut roulée, piétinée. Dans son évanouissement, elle rêvait : il lui semblait qu'elle était une des petites hercheuses de jadis, et qu'un morceau de charbon, glissé d'un panier, au-dessus d'elle, venait de la jeter en bas du puits, ainsi qu'un moineau atteint d'un caillou. Cinq échelles seulement restaient à gravir, on avait mis près d'une heure. Jamais elle ne sut comment elle était arrivée au jour, portée par des épaules, maintenue par l'étranglement du goyot. Brusquement, elle se trouva dans un éblouissement de soleil, au milieu d'une foule hurlante qui la huait.

Germinal eut un retentissement énorme ; il révélait un univers que ceux qu'il inquiétait eussent préféré ne pas voir. Et l'œuvre avait une telle puissance qu'elle consacrait Zola comme l'un des plus grands écrivains de tous les temps. Après l'*Assommoir*, *Nana* et *Germinal*, nul ne pouvait mettre en doute que leur auteur eût un souffle extraordinaire.

Il se réclamait aussi d'une certaine philosophie. A Gustave Geoffroy, qui avait publié une étude sur *Germinal*, Émile Zola adressait, le 22 juillet 1885, cette profession de foi matérialiste :

Vous avez raison, je crois qu'il faut avant tout chercher dans mes œuvres une philosophie particulière de l'existence. Mon rôle a été de remettre l'homme à sa place dans la création, comme un produit de la terre, soumis encore à toutes les influences du milieu ; et, dans l'homme lui-même, j'ai remis à sa place le cerveau parmi les organes, car je ne crois pas que la pensée soit autre chose qu'une fonction de la matière. La fameuse psychologie n'est qu'une abstraction, et en tous cas elle ne serait qu'un coin restreint de la physiologie.

DEMANDEZ *GERMINAL !* LE NOUVEAU JOUET DE L'ANNÉE !

Vignette de Gil Baër
(La Chronique parisienne, 27 *déc.* 1885)

FIN DES ROUGON-MACQUART.

Un an plus tard, en 1886, paraissait *L'Œuvre*, qui acheva de brouiller Cézanne et Zola. Le peintre s'était reconnu dans le portrait, et le désaccord qui séparait les deux hommes se manifesta alors ouvertement.

C'est au mois de juin de cette même année 1886 que Zola expose à J. van Santen Kolff ce qu'il a l'intention de réaliser, en écrivant *La Terre.*

... *Je travaille encore au plan de mon prochain roman* La Terre, *je ne me mettrai à écrire que dans une quinzaine de jours ; et ce roman m'épouvante moi-même, car il sera un des plus chargés de matière, dans sa simplicité. J'y veux faire tenir tous nos paysans avec leur histoire, leurs mœurs, leur rôle ; j'y veux poser la question sociale de la propriété ; j'y veux montrer où nous allons, dans cette crise de l'agriculture, si grave en ce moment. Toutes les fois maintenant que j'entreprends une étude, je me heurte au socialisme. Je voudrais faire pour le paysan, avec* La Terre, *ce que j'ai fait pour l'ouvrier avec* Germinal. — *Ajoutez que j'entends rester artiste, écrivain, écrire le poème vivant de la terre : les saisons, les travaux des champs, les gens, les bêtes, la campagne entière.* — *Et voilà tout ce que je puis vous dire, car il me faudrait autrement entrer dans des explications qui dépasseraient mon courage. Dites que j'ai l'ambition démesurée de faire tenir toute la vie du paysan dans mon livre : travaux, amours, politique, religion, passé, présent, avenir ; et vous serez dans le vrai. Mais aurai-je la force de remuer un si gros morceau ? En tout cas, je vais le tenter...*

Paru l'année suivante, ce livre souleva l'une des tempêtes les plus violentes que Zola ait dû affronter. On estima

◄ *Caricature par Jean Veber* (1887)

Paris 13 octobre 87

Mon cher Goncourt,

Hier soir seulement, des amis communs m'ont appris une bien étonnante chose : vous m'accuseriez d'avoir fait dire que vous étiez l'inspirateur volontaire de l'article imbécile et ordurier publié par "le Figaro". Vous me croyez donc bête ? Faites-moi l'amitié de penser que je sais comment l'article a été écrit. Je suis convaincu, j'ai répété partout que, si vous en aviez eu connaissance, vous en auriez empêché la publicaqu'il calomniait les paysans, et que l'indécence, cette fois, passait les bornes. Les adversaires du naturalisme tirèrent à boulets rouges. Un renfort sur lequel ils n'avaient pas compté leur vint d'un groupe de jeunes écrivains, qui publièrent un manifeste pour renier Émile Zola en tant que maître. Ces cinq soi-disant disciples étaient : J.-H. Rosny, Lucien Descaves, Paul Bonnetain, Paul Marguerite, et Gustave Guiches. La surprise de Zola fut grande, car il les connaissait tous fort peu.

Le 19 août 1887, il écrira à Henry Bauer :

Votre lettre me touche beaucoup, mon cher Bauer, et comme vous le dites, si le côté ignoble de l'article en question m'a blessé un moment, les bonnes poignées de main qui m'arrivent m'ont déjà consolé.

Vous faites allusion à de bien vilains dessous, que je m'entête à ne pas vouloir constater. Heureusement, aucun des cinq signataires n'est de mon intimité, pas un n'est venu chez moi, je ne les ai jamais rencontrés que chez Goncourt et Daudet. Cela m'a rendu leur manifeste moins dur. J'ai toujours été affamé de solitude et d'impopularité, à peine ai-je quelques amis, et je tiens à eux.

Et Zola a raison de ne pas voir en Goncourt et en Alphonse Daudet, comme on voudrait le lui suggérer, les véritables inspirateurs du manifeste. Ils n'y sont en effet pour rien. Daudet a écrit à Zola pour le mettre en garde contre ceux qui veulent les dresser l'un contre l'autre.

A quoi il répond, le 19 novembre 1887 :

Mais jamais, mon cher Daudet, jamais je n'ai cru que vous aviez eu connaissance de l'extraordinaire manifeste des cinq ! Mon premier cri a été que ni vous ni Goncourt ne saviez rien de la grande affaire, et que l'article avait dû tomber sur vos têtes comme un pavé. C'est ce que j'ai dit aux reporters, sans arrière-pensée, avec la conviction la plus formelle. Je suis confondu que vous ayez vu là une accusation détournée de ma part. Le stupéfiant, c'est que de victime vous m'avez fait coupable, et qu'au lieu de m'envoyer une poignée de main, vous avez failli rompre avec moi. Avouez que cela dépassait un peu la mesure.

Je ne vous en ai jamais voulu, moi. Je sais parfaitement comment le manifeste a été écrit, et il faut en sourire. Votre lettre, mon cher Daudet, ne m'en cause pas moins une vive joie, puisqu'elle met fin à un malentendu dont nos ennemis étaient déjà enchantés.

C'est en 1888 que Zola fait la connaissance de Jeanne Rozerot. C'est une jeune fille, elle a vingt ans, lui quarante-huit. L'écrivain n'a jamais eu d'enfants, Jeanne lui en donnera deux, un garçon et une fille, que Mme Zola reconnaîtra après la mort de son mari. Ce sera la seule aventure sentimentale de Zola.

La même année, désireux une fois de plus de montrer qu'il peut passer avec aisance de la violence à la délicatesse, Émile Zola publie *Le Rêve*. Mais il revient deux ans plus tard à sa véritable inspiration, avec *La Bête Humaine*, qui est dans la pure lignée naturaliste.

Dès 1889, il réunissait les matériaux ; le 3 juin, il écrivait au docteur Gouverné :

J'ai besoin d'un renseignement pour le roman que j'écris, et je me permets de vous le demander.

Je vois que le nitre est un poison hyposthénisant. Est-ce qu'on pourrait empoisonner avec le salpêtre de nos maisons d'habitation ? J'ai besoin qu'un gredin de paysan empoisonne sa femme, d'une façon lente et facile.

Puis-je lui faire prendre le salpêtre qu'il a sous la main, et en quelle quantité, et à combien de reprises ?

Et pour la première fois, dans une lettre à Charpentier, apparaissait une certaine impatience qu'il avait d'en finir avec sa série.

J'ai travaillé à mon roman avec rage. J'aurai certainement fini le 1er décembre.

Je suis pris du désir furieux de terminer au plus tôt ma série des Rougon-Macquart. Je voudrais en être débarrassé en janvier 1892. Cela est possible, mais il faut que je bûche ferme.

Je traverse une période très saine de travail, je me porte admirablement bien, et je me retrouve comme à vingt ans, lorsque je voulais manger les montagnes.

Ah ! mon ami, si je n'avais que trente ans, vous verriez ce que je ferais. J'étonnerais le monde.

La Bête Humaine n'est qu'une suite de meurtres. Le principal personnage, Jacques Lantier, est un criminel-

LE RÊVE

DRAME LYRIQUE EN QUATRE ACTES, D'APRÈS LE ROMAN D'ÉMILE ZOLA

Première représentation le 18 juin 1891

Poème de Louis GALLET — **Musique de Alfred BRUNEAU**

ACTE II. — SCÈNE III. — Au son des Cloches

Publié avec l'autorisation spéciale de MM. CHOUDENS fils, éditeurs-propriétaires de la partition *Le Rêve*.

né, par hérédité évidemment. Comme d'autres ont la passion de l'alcool, il a le goût du sang. Alors que les autres personnages de *La Bête Humaine* deviennent assassins par intérêt ou par jalousie, Lantier l'est d'instinct, d'une façon gratuite, pour la pure jouissance de donner la mort. Et sa lutte contre son envie de tuer est admirablement décrite.

Rien ne saurait mieux montrer la différence qu'il y a entre Dostoievski et Zola qu'une comparaison entre *Crime et Châtiment* et *La Bête Humaine*. Raskolnikof tue pour des raisons métaphysiques, son drame est celui du péché, et de la rédemption à quelque prix que ce soit, fût-ce au prix du châtiment. Dans *La Bête Humaine* c'est l'animalité seule qui règne. Tout se passe dans l'épaisseur des corps ; des lois obscures mènent les êtres, et la réflexion n'y est pour rien. La conséquence du crime n'est pas un tourment de l'âme, un drame de la conscience, mais une lente et implacable décomposition du criminel.

Zola n'est peut-être jamais aussi grand que lorsqu'il montre la veulerie. Cet homme sévère pour lui-même, ce travailleur acharné, atteint au maximum de son génie lorsqu'il décrit une débâcle intérieure, la moisissure qui gagne un de ses personnages. Alors seulement il touche à certaines profondeurs.

La Bête Humaine reprend le thème de *Thérèse Raquin*, mais ce qui n'était qu'un récit linéaire s'est élargi ; repris par l'écrivain dans sa maturité, le roman du jeune Zola s'enrichit de toute la puissance du maître.

Ici comme là, un homme et sa femme tuent, et ce sont les suites du crime qui nous sont montrées. Mais la toile de fond est admirable : les locomotives, les gares, et cette sensation alors si neuve de la vitesse, sont utilisées ainsi qu'un décor gigantesque qui revient de chapitre en chapitre, avec une puissance envoûtante. *La Bête Humaine* c'est le crime passionnel dans un univers industriel.

On a souri du voyage que fit Zola de Paris à Mantes, sur la plate-forme d'une locomotive, vêtu d'un bleu de chauffe. Edmond de Goncourt, calfeutré dans son salon japonais, devait en faire des gorges chaudes. Il est aisé de voir, pourtant, ce qu'un tel souci de connaître par lui-même — et jusque dans les moindres détails — ce dont il parle, ajoute de vraisemblance et de vie à son roman. Voici le passage où Jacques Lantier que son hérédité prédispose à devenir un assassin, et qui le sait et le redoute à chaque instant, apprend que sa maîtresse Séverine a participé à un crime :

Chez Séverine, après la montée ardente de ce long récit, ce cri était comme l'épanouissement même de son besoin de joie, dans l'exécration de ses souvenirs. Mais Jacques, qu'elle avait bouleversé et qui brûlait comme elle, la retint encore.

— Non, non, attends... Et tu étais aplatie sur ses jambes, et tu l'as senti mourir ?

En lui, l'inconnu se réveillait, une onde farouche montait des entrailles, envahissait la tête d'une vision rouge. Il était repris de la curiosité du meurtre.

— Et alors, le couteau, tu as senti le couteau entrer ?

— Oui, un coup sourd.

— Ah ! un coup sourd... Pas un déchirement, tu es sûre ?

— Non, non, rien qu'un choc.

— Et, ensuite, il a eu une secousse, hein ?

— Oui, trois secousses, oh ! d'un bout à l'autre de son corps, si longues, que je les ai suivies jusque dans ses pieds.

— Des secousses qui le raidissaient, n'est-ce pas ?

— Oui, la première très forte, les deux autres plus faibles.

— Et il est mort, et à toi qu'est-ce que ça t'a fait, de le sentir mourir comme ça, d'un coup de couteau ?

— A moi, oh ! je ne sais pas.

— Tu ne sais pas, pourquoi mens-tu ? Dis-moi, dis-moi ce que ça t'a fait, bien franchement... De la peine ?

— Non, non, pas de la peine !

— Du plaisir ?

— Du plaisir, ah ! non, pas du plaisir !

— Quoi donc, mon amour ? Je t'en prie, dis-moi tout... Si tu savais... Dis-moi ce qu'on éprouve.

— Mon Dieu ! est-ce qu'on peut dire ça ?... C'est affreux, ça vous emporte, oh ! si loin, si loin ! J'ai plus vécu dans cette minute-là que dans toute ma vie passée.

Les dents serrées, n'ayant plus qu'un bégaiement, Jacques cette fois l'avait prise ; et Séverine aussi le prenait. Ils se possédèrent, retrouvant l'amour au fond de la mort, dans la même volupté douloureuse des bêtes qui s'éventrent pendant le rut. Leur souffle rauque, seul, s'entendit. Au plafond, le reflet saignant avait disparu ; et, le poêle éteint, la chambre commençait à se glacer, dans le grand froid du dehors. Pas une voix ne montait de Paris ouaté de neige. Un instant, des ronflements étaient venus de chez la marchande de journaux, à côté. Puis, tout s'était abîmé au gouffre noir de la maison endormie.

Jacques, qui avait gardé Séverine dans ses bras, la sentit tout de suite qui cédait à un sommeil invincible, comme foudroyée. Le voyage, l'attente prolongée chez les Misard, cette nuit de fièvre, l'accablaient. Elle bégaya un bonsoir enfantin, elle dormait déjà, d'un souffle égal. Le coucou venait de sonner trois heures.

Et, pendant près d'une heure encore, Jacques la garda sur son bras gauche, qui, peu à peu, s'engourdissait. Lui, ne pouvait fermer les yeux, qu'une main invisible, obstinément, semblait rouvrir dans les ténèbres. Maintenant, il ne distinguait plus rien de la chambre, noyée de nuit, où tout avait sombré, le poêle, les meubles, les murs ; et il fallait qu'il se tournât, pour retrouver les deux carrés pâles des fenêtres, immobiles, d'une légèreté de rêve. Malgré sa fatigue écrasante, une activité cérébrale prodigieuse le tenait vibrant, dévidant sans cesse le même écheveau d'idées. Chaque fois que, par un effort de volonté, il croyait glisser au sommeil, la même hantise recommençait, les mêmes images défilaient, éveillant les mêmes sensations. Et ce qui se déroulait ainsi, avec une régularité mécanique, pendant que ses yeux fixes et grands ouverts s'emplissaient d'ombre, c'était le meurtre, détail à détail. Toujours, il renaissait, identique, envahissant, affolant. Le couteau entrait dans la gorge d'un choc sourd, le corps avait trois longues secousses, la vie s'en allait en un flot de sang tiède, un flot rouge qu'il croyait sentir lui couler sur les mains. Vingt fois, trente fois, le couteau entra, le corps s'agita. Cela devenait énorme, l'étouffait, débordait, faisait éclater la nuit. Oh ! donner un coup de couteau pareil, contenter ce lointain désir, savoir ce qu'on éprouve, goûter cette minute où l'on vit davantage que dans toute une existence !

Comme son étouffement augmentait, Jacques pensa que le poids de Séverine sur son bras l'empêchait seul de dormir. Doucement, il se dégagea, la posa près de lui, sans l'éveiller. D'abord soulagé, il respira plus à l'aise, croyant que le sommeil allait venir enfin. Mais, malgré son effort, les invisibles doigts rouvrirent ses paupières ; et, dans le noir, le meurtre reparut en traits sanglants, le couteau entra, le corps s'agita. Une pluie rouge rayait les ténèbres, la plaie de la gorge, démesurée, bâillait comme une entaille faite à la hache. Alors, il ne lutta plus, resta sur le dos, en proie à cette vision obstinée. Il entendait en lui le labeur décuplé du cerveau, un grondement de toute la machine. Cela venait de très loin, de sa jeunesse. Pourtant, il s'était cru guéri, car ce désir était mort depuis des mois, avec la possession de cette femme ; et voilà que jamais il ne l'avait ressenti si intense, sous l'évocation de ce meurtre, que, tout à l'heure, serrée contre sa chair, liée à ses membres, elle lui chuchotait. Il s'était écarté, il évitait qu'elle ne le touchât, brûlé par le moindre contact de sa peau. Une chaleur insupportable montait le long de son échine, comme si le matelas, sous ses reins, se fût changé en brasier. Des picotements, des pointes de feu lui trouaient la nuque. Un moment, il essaya de sortir ses mains de la couverture ; mais tout de suite elles se glaçaient, lui donnaient un frisson. La peur le prit de ses mains, et il les rentra, les joignit d'abord sur son ventre, finit par les glisser, par les écraser sous ses fesses, les emprisonnant là, comme s'il eût redouté quelque abomination de leur part, un acte qu'il ne voudrait pas et qu'il commettrait quand même.

Chaque fois que le coucou sonnait, Jacques comptait les coups. Quatre heures, cinq heures, six heures. Il aspirait après le jour, il espérait que l'aube chasserait ce cauchemar. Aussi, maintenant, se tournait-il vers les fenêtres, guettant les vitres. Mais il n'y avait toujours là que le vague reflet de la neige. A cinq heures moins un quart, avec un retard de quarante minutes seulement, il avait entendu arriver le direct du Havre, ce qui prouvait que la circulation devait être rétablie. Et ce ne fut pas avant sept heures passées, qu'il vit blanchir les vitres, une pâleur laiteuse, très lente. Enfin, la chambre s'éclaira, de cette lumière confuse où les meubles semblaient flotter. Le poêle reparut, l'armoire, le buffet. Il ne pouvait toujours fermer les paupières, ses yeux au contraire s'irritaient, dans un besoin de voir. Tout de suite, avant qu'il fît assez clair, il avait plutôt deviné qu'aperçu, sur la table, le couteau dont il s'était servi, le soir, pour couper le gâteau. Il ne voyait plus que ce couteau, un petit couteau à bout pointu. Le jour grandissait, toute la lumière blanche des deux fenêtres n'entrait maintenant que pour se refléter dans cette mince lame. Et la terreur de ses mains les lui fit enfoncer davantage sous son corps, car il les sentait bien qui s'agitaient, révoltées, plus fortes que son vouloir. Est-ce qu'elles allaient cesser de lui appartenir ? Des mains qui lui viendraient d'un autre, des mains léguées par quelque ancêtre, au temps où l'homme, dans les bois, étranglait les bêtes !

Pour ne plus voir le couteau, Jacques se tourna vers Séverine. Elle dormait très calme, avec un souffle d'enfant, dans sa grosse fatigue. Ses lourds cheveux noirs, dénoués, lui faisaient un oreiller sombre, coulant jusqu'aux épaules ; et, sous le menton, entre les boucles, on apercevait sa gorge, d'une délicatesse de lait, à peine rosée. Il la regarda comme s'il ne la connaissait point. Il l'adorait cependant, il emportait partout son image, dans un désir d'elle, qui, souvent, l'angoissait, même lorsqu'il conduisait sa machine ; à ce point, qu'un jour il s'était éveillé, comme d'un rêve, au moment où il passait une station à toute vapeur, malgré les signaux. Mais la vue de cette gorge blanche le prenait tout entier, d'une fascination soudaine, inexorable ; et, en lui, avec une horreur consciente encore, il sentait grandir l'impérieux besoin d'aller chercher le couteau, sur la table, de revenir l'enfoncer jusqu'au manche, dans cette chair de femme. Il entendait le choc sourd de la lame qui entrait, il voyait le corps sursauter par trois fois, puis la mort le raidir, sous un flot rouge. Luttant, voulant s'arracher de cette hantise, il perdait chaque seconde un peu de sa volonté, comme submergé par l'idée fixe, à ce bord extrême où, vaincu, l'on cède aux poussées de l'instinct. Tout se brouilla, ses mains révoltées, victorieuses de son effort à les cacher, se dénouèrent, s'échappèrent. Et il comprit si bien que, désormais, il n'était plus le maître, et qu'elles allaient brutalement se satisfaire, s'il continuait à regarder Séverine, qu'il mit ses dernières forces à se jeter hors du lit, roulant par terre ainsi qu'un homme ivre. Là, il se ramassa, faillit tomber de nouveau, en s'embarrassant les pieds parmi les jupes restées sur le parquet. Il chancelait, cherchait ses vêtements d'un geste égaré, avec la pensée unique de s'habiller vite, de prendre le couteau et de descendre tuer une autre femme, dans la rue. Cette fois, son désir le torturait trop, il fallait qu'il en tuât une. Il ne trouvait plus son pantalon, le toucha à trois reprises, avant de savoir qu'il le tenait. Ses souliers à mettre lui donnèrent un mal infini. Bien qu'il fît grand jour maintenant, la chambre lui paraissait pleine de fumée rousse, une aube de brouillard glacial où tout se noyait. Il grelottait de fièvre, et il était habillé enfin, il avait pris le couteau, en le cachant dans sa manche, certain d'en tuer une, la première qu'il rencontrerait sur le trottoir, lorsqu'un froissement de linge, un soupir prolongé qui venait du lit, l'arrêta, cloué près de la table, pâlissant.

C'était Séverine qui s'éveillait.

— Quoi donc, chéri, tu sors déjà !

Il ne répondait pas, il ne la regardait pas, espérant qu'elle se rendormirait.

— Où vas-tu donc, chéri ?

— Rien, balbutia-t-il, une affaire de service... Dors, je vais revenir.

Alors, elle eut des mots confus, reprise de torpeur, les yeux déjà fermés.

— Oh ! j'ai sommeil, j'ai sommeil... Viens m'embrasser, chéri.

Mais il ne bougeait pas, car il savait que, s'il se retournait, avec ce couteau dans la main, s'il la revoyait seulement, si fine, si jolie, en sa nudité et son désordre, c'en était fait de la volonté qui le raidissait là, près d'elle. Malgré lui, sa main se lèverait, lui planterait le couteau dans le cou.

— Chéri, viens m'embrasser...

Sa voix s'éteignait, elle se rendormit, très douce, avec un murmure de caresse. Et lui, éperdu, ouvrit la porte, s'enfuit.

Le 9 mars 1890, s'adressant à Jules Lemaître, Zola avoue de nouveau qu'il commence à se lasser des *Rougon-Macquart* :

Certes, oui, je commence à être las de ma série, ceci entre nous. Mais il faut bien que je la finisse, sans trop changer mes procédés.

En 1870, il a failli être préfet ; voici qu'on lui propose maintenant d'être député. Au nom d'un groupe de jeunes gens, Clément Janin lui a offert une candidature dans le cinquième arrondissement. Zola lui répond :

Je suis extrêmement touché et flatté de votre offre. Mais je suis trop écrasé de besogne, mes travaux littéraires m'empêchent de l'accepter. Le mandat de député est l'un des plus lourds que je connaisse, lorsqu'on ne veut pas être un député fainéant ; et, comme je suis un homme de conscience et de travail je préfère avant tout achever mon œuvre.

Cette œuvre d'ailleurs ne cessera de s'appauvrir. Les trois romans publiés de 1891 à 1893, *L'Argent*, *La Débâcle*, *Le Docteur Pascal*, qui terminent les *Rougon-Macquart*, n'ont plus le même élan. Mais les livres ont des destinées singulières. *La Débâcle*, qui est l'un des romans les moins réussis de Zola, a l'un des plus forts tirages. Le souci d'actualité, s'il a desservi l'écrivain sur le plan de l'art, a fait la réussite commerciale du livre.

Répondant à J. van Santen Kolff, qui lui demandait des détails sur la composition de *La Débâcle*, Zola écrit :

J'ai suivi mon éternelle méthode ; des promenades sur les lieux que j'aurai à décrire ; la lecture de tous les documents écrits, qui sont extraordinairement nombreux ; enfin, de longues conversations avec les auteurs du drame que j'ai pu approcher. Voici ce qui m'a le plus servi pour La Débâcle. *Lorsque la guerre fut déclarée, il y avait dans les professions libérales, parmi les avocats, les jeunes professeurs, même parmi les universitaires, les anciens professeurs sur le pavé, des gens souvent de grande instruction, pas enrôlés, exempts de service, qui se firent enrôler comme simples soldats. Le soir, au bivouac, ils notaient dans de petits carnets leurs impressions, leurs aventures. J'en ai eu cinq à six entre les mains, qui me furent offerts par écrit, tantôt l'original, tantôt une copie ; un ou deux même étaient imprimés. Ce qui avait surtout, dans ces carnets, de l'intérêt pour moi, c'est la vie, la chose vécue. Tous se ressemblaient. Il y avait là une généralité d'impression. Tout cela, le fond même de* La Débâcle, *me fut donné par ces carnets.*

Pourtant, les petites fiches portant les numéros des régiments, les cartes d'état-major, l'avance et le recul des armées, les noms des généraux, et même ces carnets de combattants qu'il a lus, ne parviennent jamais à donner l'impression de la vie. Que l'on compare *Guerre et Paix* à *La Débâcle*, et l'on verra ce que Tolstoï a réussi avec un sujet semblable.

Dans *Le Docteur Pascal*, Zola s'est peint sous l'éclairage le plus flatteur ; le « maître » est beau, bon, intelligent, d'un désintéressement enfantin. Jamais Zola ne s'était ainsi attendri sur un de ses personnages. Les eaux de vaisselle et les traces de sueur font place aux lis et aux roses ; les désirs sont à ce point sublimés que, lorsque le « maître » devient l'amant de la jeune fille, de vingt-cinq ans plus jeune que lui, c'est un archange qui se penche sur une sainte.

GIL BLAS du Mardi 15 juillet 1890

ACADEMIE FRANCAISE
EST DE RIGUEUR
ESSUYEZ VOS PIEDS
SUR LE PAILLASSON

GIL BLAS publiera, en Novembre prochain, un grand roman inédit

L'ARGENT, par **ÉMILE ZOLA**

D'ici là, *GIL BLAS* publiera :

l'Envie, par MAURICE **MONTÉGUT**. — Le **Lait d'une autre,** par ALEXANDRE **HEPP**.

Puis viendront des ROMANS DE MOEURS *de* RENÉ MAIZEROY, ÉMILE BERGERAT, GROSCLAUDE, PAUL FOUCHER, *etc., etc.*

GIL BLAS est le premier des journaux littéraires : Dans le monde élégant on ne lit que GIL BLAS

GIL BLAS est heureux de rappeler qu'il publie chaque semaine VINGT-HUIT CHRONIQUES signées :

ALPHONSE ALLAIS – PAUL ALEXIS – PAUL ARÈNE – HENRI BECQUE – ÉMILE BERGERAT – PAUL BOURGET – FRANCIS CHEVASSU – CLADEL – GUSTAVE CLAUDIN – COLOMBINE – LOUIS DAVYL – ALBERT DELPIT – DUBUT DE LAFOREST – ABRAHAM DREYFUS – GEORGES D'ESPARBÈS – PAUL FOUCHER – PAUL GINISTY – GUIGNOLET – GROSCLAUDE – ALEXANDRE HEPP – CLOVIS HUGUES – L'INGÉNU – JACQUELINE – CAMILLE LEMONNIER – HUGUES LE ROUX – PIERRE LOTI – RENÉ MAIZEROY – GUY DE MAUPASSANT – TANCRÈDE MARTEL – OSCAR MÉTÉNIER – MAURICE MONTÉGUT – JOSEPH MONTET – GEORGES OHNET – POMPON – MARCEL PRÉVOST – J. RICARD – JEAN RICHEPIN – RIQUET – SANTILLANE – MAURICE TALMEYR – AUGUSTIN THIERRY

Et chaque jour :

... par **LE DIABLE BOITEUX** ... par **LE SAGE** ... **PAUWELS** ... par **DON CAPRICE** ... par **MAURICE TALMEYR** ... par **LÉON BERNARD-DEROSNE** ... par **VICTOR WILDER** ... par **D. E. MONIN** ... **MANCELLIERE** ...

Caricature, par Gilbert Martin (1890)

Qui donc prétendait que Zola voyait l'humanité sous un jour plutôt gris ? Qu'est devenu le roman expérimental, sa rigueur scientifique ? Le chef de l'école naturaliste s'y entend décidément très bien pour donner dans le genre saint-sulpicien. On ne le verra que trop dans la suite de son œuvre, quand le prêche y fera irruption.

Jusque là, il avait eu la sagesse de faire deux parts : la critique et les romans. Il prétendait bien que ceux-ci naissaient de celle-là, mais — heureusement emporté par son élan, dans les meilleurs de ses livres — il nous montrait des milieux doués d'une vie propre, des personnages merveilleusement vivants. Dans ce qu'il appellera la partie constructive de son œuvre, l'auteur sera omniprésent, toutes les idées exprimées seront siennes. Le prophète remplacera le romancier. Le travers qu'il reprochait si vivement à Victor Hugo deviendra le sien.

Quand Zola achève sa série, il a cinquante-trois ans ; il l'avait entreprise en 1871, à trente et un ans. En vingt-deux ans, il a donc écrit vingt romans qui tiennent en trente et un volumes et qui comportent douze cents personnages. Sur les rayons de sa bibliothèque de Médan, Zola peut contempler cette rangée de livres, auxquels s'ajoutent les traductions dans la plupart des langues européennes.

Il aurait alors le droit de se reposer : il n'y songe pas. De nouvelles œuvres le hantent, dont il combine les plans. Il tient déjà le titre général, *Les Trois Villes*, qui seront *Lourdes*, *Rome*, *Paris*. Le défi qu'il lui semble que Balzac lui jette avec sa *Comédie Humaine*, il continue de le relever, s'efforçant d'égaler par sa puissance de travail l'homme qu'il admire le plus. Mais c'est dans un état d'esprit bien différent qu'il travaillera désormais. On a reproché d'une façon si constante au romancier naturaliste de ne montrer que les tares d'une société, sans indiquer les remèdes, que Zola va maintenant vouloir prouver le mal fondé d'une telle critique. C'est avec ce nouveau but qu'il se remet à la tâche.

à ma chère femme
à ma bien-aimée Jeanne
Emile Zola

LOURDES

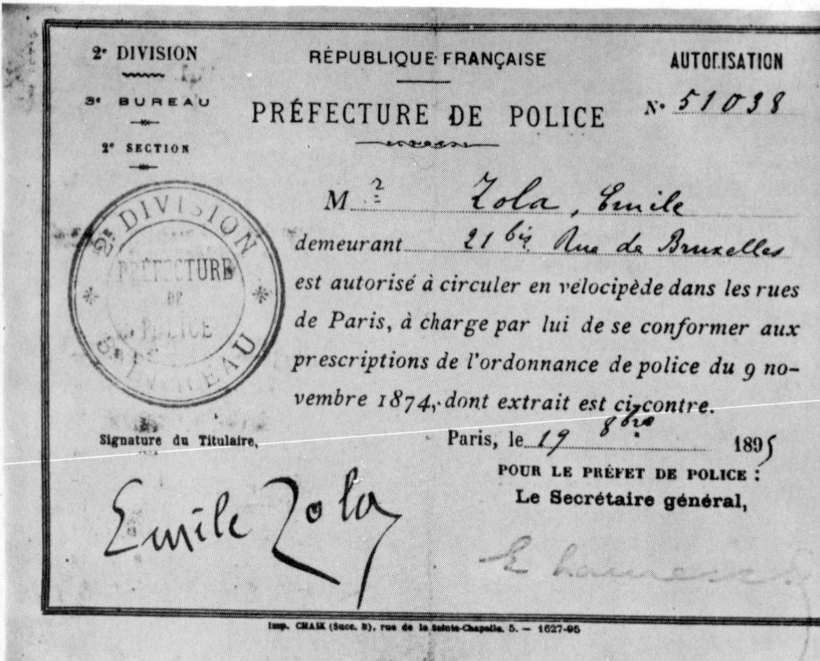

2e DIVISION

3e BUREAU

2e SECTION

RÉPUBLIQUE FRANÇAISE

PRÉFECTURE DE POLICE

AUTORISATION

N° 51038

M. Zola, Emile

demeurant 21 bis Rue de Bruxelles

est autorisé à circuler en vélocipède dans les rues de Paris, à charge par lui de se conformer aux prescriptions de l'ordonnance de police du 9 novembre 1874, dont extrait est ci-contre.

Paris, le 19 8bre 1895

POUR LE PRÉFET DE POLICE :

Le Secrétaire général,

Signature du Titulaire,

Emile Zola

Imp. CHAIX (Succ. B), rue de la Sainte-Chapelle, 5. — 1627-95

Ci-contre : *vers la même époque, à pied, et sur toile de fond.*

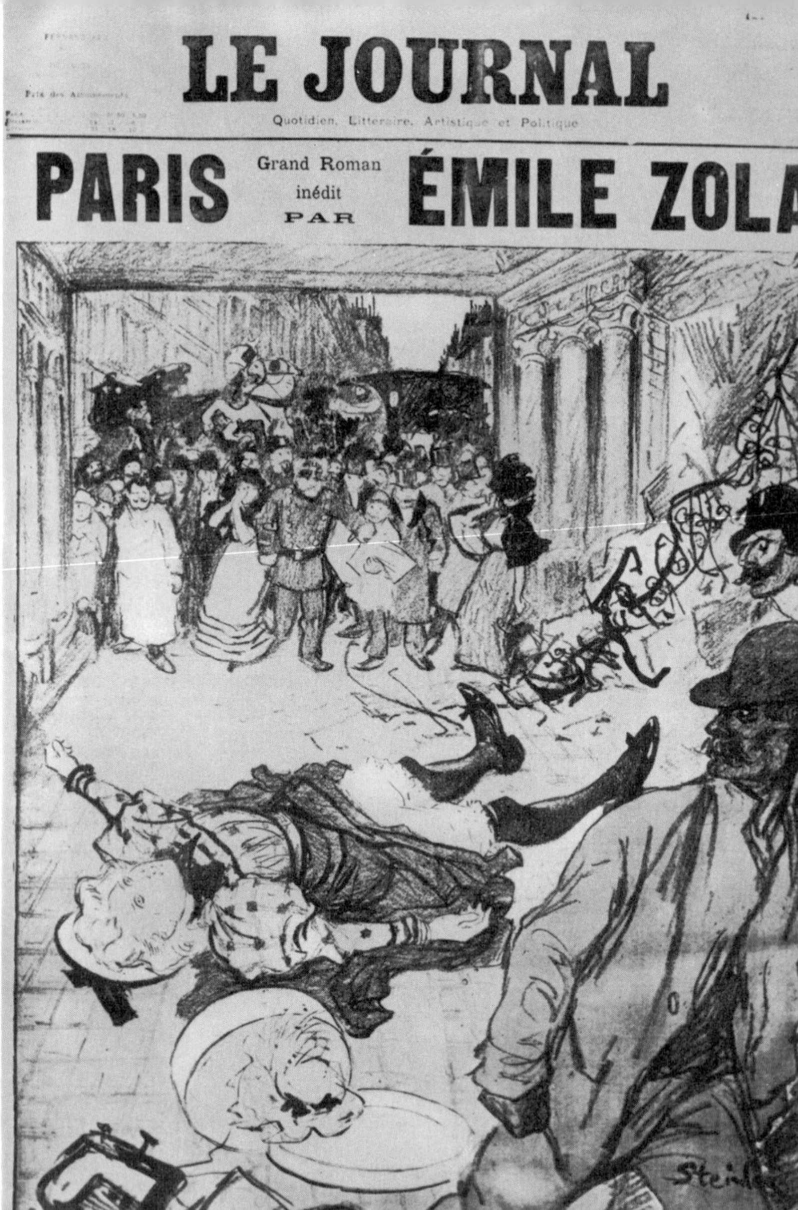

LE JOURNAL

Quotidien, Littéraire, Artistique et Politique

PARIS Grand Roman inédit PAR ÉMILE ZOLA

Dessin de Steinlen (septembre 1897)

L'AFFAIRE DREYFUS.

Rome et *Paris* paraîtront en 1896 et 1897.

En 1894, Zola est en Italie, où il se documente pour le premier de ces deux volumes. Puis il rentre à Médan et continue son travail. Or c'est le 15 octobre de cette même année que le capitaine Dreyfus est arrêté ; le 22 décembre, il est condamné à la déportation à vie dans l'île du Diable.

En 1894, *au moment où l'affaire Dreyfus s'engagea, j'étais à Rome, et je n'en revins que vers le* 15 *décembre. J'y lisais naturellement peu les journaux français. C'est ce qui explique l'état d'ignorance, la sorte d'indifférence où je suis longtemps resté, au sujet de cette affaire. Ce fut seulement en novembre* 1897, *lorsque je rentrai de la campagne, que je commençai à me passionner, des circonstances m'ayant permis de connaître les faits et certains documents, publiés plus tard, qui suffirent à rendre ma conviction absolue, inébranlable.*

Dans les débuts, nul ne doute de la culpabilité de Dreyfus : même ceux qui vont devenir ses plus ardents défenseurs, Clémenceau et Jaurès, l'attaquent avec violence. C'est lentement que le bruit se répand dans

Paris qu'il se pourrait que le capitaine fût innocent. Un officier, le lieutenant-colonel Picquart, en 1896, fait part à ses chefs de sa conviction qu'Esterhazy est le véritable traître, l'auteur du bordereau adressé à l'Allemagne. Mais on l'oblige à se taire, et on l'envoie en mission en Afrique du Nord. Les bureaux du Ministère de la Guerre n'entendent pas revenir sur la chose jugée. Ils pensent que le prestige de l'armée souffrirait d'une révision du procès, qui montrerait de quelle façon arbitraire l'affaire a été conduite.

Si Zola vivait à Paris, sans doute serait-il sensible aux rumeurs qui commencent à se répandre dans la ville, qui se murmurent de bouche à oreille. Mais il habite Médan, il est pris tout entier par sa trilogie : il ignore l'affaire Dreyfus, ou du moins ne lui donne pas plus d'attention que n'en mérite une banale affaire de trahison.

Cependant l'inquiétude grandit. Le vice-président du Sénat, Scheurer-Kestner, homme d'une probité irréprochable, unanimement respecté, éprouve à son tour des doutes. Il est moins facile de le réduire au silence qu'un officier de carrière. Dans cette lutte qui commence, il jette tout son crédit moral. Par ailleurs les lettres de Dreyfus à sa famille commencent à être connues, elles ont un accent qui émeut. Gardé nuit et jour par douze hommes dans sa prison de l'île, le prisonnier crie son innocence avec tant de constance et d'âpreté que certaines consciences en sont troublées. Enfin, Bernard Lazare entre à son tour dans la mêlée, alertant ouvertement l'opinion publique. Dès lors — ainsi que l'écrira plus tard Zola — *la vérité est en marche, rien ne l'arrêtera.* Pourtant, l'écrivain n'est pas encore gagné par cette fièvre de justice qui, lentement, va brûler la France entière.

C'est seulement vers la fin de 1897, en venant passer l'hiver dans son appartement de Paris, qu'il prend connaissance de certains documents, et que les faits lui apparaissent avec clarté. Pour la première fois depuis plus de trente ans qu'il écrit, il voit une raison d'agir qui l'emporte sur sa passion de créer ; car il s'agit de dénoncer un crime commis à la face de tout un peuple.

L'hésitation, chez Zola, est toujours de courte durée. C'est d'un même mouvement qu'il comprend qu'un acte est juste, nécessaire, et qu'il le fait entrer dans la réalité. Il n'y a pas chez lui de distance entre la pensée et l'action, et cela va parfois jusqu'à la naïveté, ainsi que le montrent certaines pages du *Roman expérimental.* Mais cette fois il est sur un terrain solide ; il ne s'agit plus de spéculations intellectuelles, il s'agit d'une injustice à réparer.

Comment sa protestation prendra-t-elle forme, où s'exprimera-t-elle ? S'il se sent prêt pour le combat, un plan d'attaque, toutefois, lui fait encore défaut. Il n'ignore pas que la lutte sera rude, il sait déjà de quelle façon on traite ceux qui mettent en doute l'équité du jugement : cela ne saurait l'arrêter. Son courage est à toute épreuve, trente années de polémique l'ont trempé. Il ne sera point du clan de ceux qui chuchotent leurs scrupules, qui murmurent la vérité. Barrès dira de lui qu'il avait le sens de l'opportunité ; en effet : celle qui consiste à prendre le parti de la justice, avec vaillance et sans se soucier des coups. A une époque comme la nôtre, où les affaires Dreyfus menacent de devenir quotidiennes, l'exemple de Zola garde son entière valeur.

C'est le hasard qui va décider du mode d'entrée en action de l'écrivain. Au cours d'une promenade dans Paris, Zola rencontre Fernand de Rodays, le directeur du *Figaro.* Nous sommes en décembre 1897 ; de quoi s'entretiendraient les deux hommes sinon de ce qui est devenu « l'Affaire » ? De Rodays partage la conviction de Zola ; Dreyfus est innocent. Quelques jours plus tard paraîtra dans son journal le premier article de Zola, *Procès-Verbal* (5 décembre 1897). L'écrivain y fait, entre autres choses, le procès de l'antisémitisme. Le « *cerveau fumeux* » auquel il fait allusion, c'est évidemment Édouard Drumont, l'auteur de *La France Juive.*

L'antisémitisme, maintenant.

Il est le coupable. J'ai déjà dit combien cette campagne barbare, qui nous ramène de mille ans en arrière, indigne mon besoin de fraternité, ma passion de tolérance et d'émancipation humaine. Retourner aux guerres de religion, recommencer les persécutions religieuses, vouloir qu'on s'extermine de race à race, cela est d'un tel non-sens, dans notre siècle d'affranchissement, qu'une pareille tentative me semble surtout imbécile. Elle n'a pu naître que d'un cerveau fumeux, mal équilibré de croyant, que d'une grande vanité d'écrivain longtemps inconnu, désireux de jouer à tout prix un rôle, fût-il odieux. Et je ne veux pas croire encore qu'un tel mou-

vement prenne jamais une importance décisive en France, dans ce pays de libre examen, de fraternelle bonté et de claire raison.

Pourtant, voilà des méfaits terribles. Je dois confesser que le mal est déjà très grand. Le poison est dans le peuple, si le peuple entier n'est pas empoisonné. Nous devons à l'antisémitisme la dangereuse virulence que les scandales du Panama ont prise chez nous. Et toute cette lamentable affaire Dreyfus est son œuvre : c'est lui seul qui affole aujourd'hui la foule, qui empêche que cette erreur ne soit tranquillement, noblement reconnue, pour notre santé et notre bon renom. Était-il rien de plus simple, de plus naturel que de faire la vérité aux premiers doutes sérieux, et ne comprend-on pas, pour qu'on en soit arrivé à la folie furieuse où nous en sommes, qu'il y a forcément là un poison caché qui nous fait délirer tous ?

Ce poison, c'est la haine enragée des juifs, qu'on verse au peuple, chaque matin, depuis des années. Ils sont une bande à faire ce métier d'empoisonneurs, et le plus beau, c'est qu'ils le font au nom de la morale, au nom du Christ, en vengeurs et en justiciers. Et qui nous dit que cet air ambiant où il délibérait, n'a pas agi sur le conseil de guerre ? Un juif traître, vendant son pays, cela va de soi. Si l'on ne trouve aucune raison humaine expliquant le crime, s'il est riche, sage, travailleur, sans aucune passion, d'une vie impeccable, est-ce qu'il ne suffit pas qu'il soit juif ?

Aujourd'hui, depuis que nous demandons la lumière, l'attitude de l'antisémitisme est plus violente, plus répugnante encore. C'est son procès qu'on va instruire, et si l'innocence d'un juif éclatait, quel soufflet pour les antisémites ! Il pourrait donc y avoir un juif innocent ? Puis, c'est tout un échafaudage de mensonges qui croule, c'est de l'air, de la bonne foi, de l'équité, la ruine même d'une secte qui n'agit sur la foule des simples que par l'excès de l'injure et l'impudence des calomnies.

Voilà encore ce que nous avons vu, la fureur de ces malfaiteurs publics, à la pensée qu'un peu de clarté allait se faire. Et nous avons vu aussi, hélas ! le désarroi de la foule qu'ils ont pervertie, toute cette opinion publique égarée, tout ce cher peuple des petits et des humbles, qui court sus aux juifs aujourd'hui, et qui demain ferait une révolution pour délivrer le capitaine Dreyfus, si quelque honnête homme l'enflammait du feu sacré de la justice.

C'est le 14 décembre qu'est mise en vente, sous forme de brochure, sa *Lettre à la jeunesse.*

Jeunesse, jeunesse ! souviens-toi des souffrances que tes pères ont endurées, des terribles batailles où ils ont dû vaincre, pour conquérir la liberté dont tu jouis à cette heure. Si tu te sens indépendante, si tu peux aller et venir à ton gré, dire dans la presse ce que tu penses, avoir une opinion et l'exprimer publiquement, c'est que tes pères ont donné de leur intelligence et de leur sang. Tu n'es pas née sous la tyrannie, tu ignores ce que c'est que de se réveiller chaque matin avec la botte d'un maître sur la poitrine, tu ne t'es pas battue pour échapper au sabre du dictateur, aux poids faux du mauvais juge. Remercie tes pères, et ne commets pas le crime d'acclamer le mensonge, de faire campagne avec la force brutale, l'intolérance des fanatiques et la voracité des ambitieux. La dictature est au bout.

Jeunesse, jeunesse ! sois toujours avec la justice. Si l'idée de justice s'obscurcissait en toi, tu irais à tous les périls. Et je ne te parle pas de la justice de nos Codes, qui n'est que la garantie des liens sociaux. Certes, il faut la respecter, mais il est une notion plus haute de la justice, celle qui pose en principe que tout jugement des hommes est faillible et qui admet l'innocence possible d'un condamné, sans croire insulter les juges. N'est-ce donc pas là une aventure qui doive soulever ton enflammée passion du droit ? Qui se lèvera pour exiger que justice soit faite, si ce n'est toi qui n'es pas dans nos luttes d'intérêts et de personnes, qui n'es encore engagée ni compromise dans aucune affaire louche, qui peux parler haut, en toute pureté et en toute bonne foi ?

Jeunesse, jeunesse ! sois humaine, sois généreuse. Si même nous nous trompons, sois avec nous, lorsque nous disons qu'un innocent subit une peine effroyable, et que notre cœur révolté s'en brise d'angoisse. Que l'on admette un seul instant l'erreur possible, en face d'un châtiment à ce point démesuré, et la poitrine se serre, les larmes coulent des yeux. Certes, les gardes-chiourmes restent insensibles, mais toi, toi, qui pleures encore, qui dois être acquise à toutes les misères, à toutes les pitiés ! Comment ne fais-tu pas ce rêve chevaleresque, s'il est quelque part un martyr succombant sous la haine, de défendre sa cause et de le délivrer ? Qui donc, si ce n'est toi, tentera la sublime aventure, se lancera dans une cause dangereuse et superbe, tiendra tête à un peuple, au nom de l'idéale justice ? Et n'es-tu pas honteuse, enfin, que ce soient des aînés, des vieux, qui se passionnent, qui fassent aujourd'hui ta besogne de généreuse folie ?

L'intervention de ce nouveau combattant, avec sa carrure, son goût de la lutte, son talent de polémiste, l'autorité que lui donnent ses œuvres, tirées pour la France seule à des centaines de milliers d'exemplaires, jette la consternation dans le clan adverse. Aussitôt, les Léon Bloy, Barbey d'Aurevilly, Rochefort, Ernest Judet, Drumont, Barrès, Maurras, concentrent leur feu sur Zola : toutes les armes sont bonnes, fût-ce les plus ignobles, et Judet ira jusqu'à mettre en cause, dans un article du *Petit Journal*, la probité de son père, François Zola.

Au moment où l'écrivain entre dans la mêlée, le courant anti-dreyfusiste est d'une violence extraordinaire. A de rares exceptions près, les gens de gauche demeurent encore silencieux. La ligne de partage se définit moins à ce moment-là selon les appartenances politiques que selon les scrupules de chacun. L'Affaire demeure une question de conscience.

C'est dans un véritable climat de pogrom que Dreyfus avait été jugé.

Une « banque catholique » — fondée pour faire échec aux banquiers protestants et juifs — ayant fait faillite peu avant qu'éclatât l'Affaire, la lutte des banquiers était aussitôt passée sur le plan social et racial. Drumont avait préparé le terrain avec son pamphlet. *Le Petit Journal*, qui tirait à un million d'exemplaires, répandait le mensonge et la haine jusque dans les villages les plus reculés. Aussi, bien des gens, pourtant convaincus de l'innocence de Dreyfus, s'abstenaient-ils de prendre parti ouvertement.

Zola n'en publie pas moins ses divers articles ; et surtout, dans l'*Aurore*, sa célèbre lettre à Félix Faure, — connue sous le titre « J'accuse », que lui a donné Clémenceau. Avec une clairvoyance et un courage admirables, il y dénonce la machination qui a entouré le procès, et cette lettre lui vaut d'être condamné à un an de prison, et à trois mille francs d'amende.

Zola passe alors en Angleterre, où il demeure onze mois, — prenant des allures de conspirateur, se faisant

Cinq Centimes

JEUDI 13 JANVIER 1898

L'AURORE

Littéraire, Artistique, Sociale

Directeur
ERNEST VAUGHAN

LES ANNONCES SONT REÇUES :
142 — Rue Montmartre — 142

Les manuscrits non insérés ne sont pas rendus

ADRESSER LETTRES ET MANDATS
à M. A. BOUIT, Administrateur

Téléphone 102-88

J'Accuse...!

LETTRE AU PRÉSIDENT DE LA RÉPUBLIQUE

Par ÉMILE ZOLA

LETTRE À M. FÉLIX FAURE

Président de la République

Monsieur le Président,

Me permettez-vous, dans ma gratitude pour le bienveillant accueil que vous m'avez fait un jour, d'avoir le souci de votre juste gloire et de vous dire que votre étoile, si heureuse jusqu'ici, est menacée de la plus honteuse, de la plus ineffaçable des taches ?

Vous êtes sorti sain et sauf des basses calomnies, vous avez conquis les cœurs. Vous apparaissez rayonnant dans l'apothéose de cette fête patriotique que l'alliance russe a été pour la France, et vous vous préparez à présider au solennel triomphe de notre Exposition Universelle, qui couronnera notre grand siècle de travail, de vérité et de liberté. Mais quelle tache de boue sur votre nom — j'allais dire sur votre règne — que cette abominable affaire Dreyfus ! Un conseil de guerre vient, par ordre, d'oser acquitter un Esterhazy, soufflet suprême à toute vérité, à toute justice. Et c'est fini, la France a sur la joue cette souillure, l'histoire écrira que c'est sous votre présidence qu'un tel crime social a pu être commis.

Puisqu'ils ont osé, j'oserai aussi, moi. La vérité, je la dirai, car j'ai promis de la dire, si la justice, régulièrement saisie, ne la faisait pas, pleine et entière. Mon devoir est de parler, je ne veux pas être complice. Mes nuits seraient hantées par le spectre de l'innocent qui expie là-bas, dans la plus affreuse des tortures, un crime qu'il n'a pas commis.

Et c'est à vous, monsieur le Président, que je la crierai, cette vérité, de toute la force de ma révolte d'honnête homme. Pour votre honneur, je suis convaincu que vous l'ignorez. Et à qui donc dénoncerai-je la tourbe malfaisante des vrais coupables, si ce n'est à vous, le premier magistrat du pays ?

* * *

La vérité d'abord sur le procès et sur la condamnation de Dreyfus.

Un homme néfaste a tout mené, a tout fait, c'est le colonel du Paty de Clam, alors simple commandant. Il est l'affaire Dreyfus tout entière, on ne la connaîtra que lorsqu'une enquête loyale aura établi nettement ses actes et ses responsabilités. Il apparaît comme l'esprit le plus fumeux, le plus compliqué, hanté d'intrigues romanesques, se complaisant aux moyens des romans-feuilletons, les papiers volés, les lettres anonymes, les rendez-vous dans les endroits déserts, les femmes mystérieuses qui colportent, de nuit, des preuves accablantes. C'est lui qui imagina de dicter le bordereau à Dreyfus ; c'est lui qui rêva de l'étudier dans une pièce entièrement revêtue de glaces ; c'est lui que le commandant Forzinetti nous représente armé d'une lanterne sourde, voulant se faire introduire près de l'accusé endormi, pour projeter sur son visage un brusque flot de lumière et surprendre ainsi son crime, dans l'émoi du réveil. Et je n'ai pas à tout dire, qu'on cherche, on trouvera. Je déclare simplement que le commandant du Paty de Clam, chargé d'instruire l'affaire Dreyfus, comme officier judiciaire, est, dans l'ordre des dates et des responsabilités, le premier coupable de l'effroyable erreur judiciaire qui a été commise.

Le bordereau était depuis quelque temps déjà entre les mains du colonel Sandherr, directeur du bureau des renseignements, mort depuis de paralysie générale. Des « fuites » avaient lieu, des papiers disparaissaient, comme il en disparaît aujourd'hui encore ; et l'auteur du bordereau était recherché, lorsqu'un a priori se fit peu à peu que cet auteur ne pouvait être qu'un officier de l'état-major, et un officier d'artillerie : double erreur manifeste, qui montre avec quel esprit superficiel on avait étudié ce bordereau, car un examen raisonné démontre qu'il ne pouvait s'agir que d'un officier de troupe. On cherchait donc dans la maison, on examinait les écritures, c'était comme une affaire de famille, un traître à surprendre dans les bureaux mêmes, pour l'en expulser. Et, sans que je veuille refaire ici une histoire connue en partie, le commandant du Paty de Clam entre en scène, dès qu'un premier soupçon tombe sur Dreyfus. A partir de ce moment, c'est lui qui a inventé Dreyfus, l'affaire devient son affaire, il se fait fort de confondre le traître, de l'amener à des aveux complets. Il y a bien le ministre de la guerre, le général Mercier, dont l'intelligence semble médiocre ; il y a bien le chef de l'état-major, le général de Boisdeffre, qui paraît avoir cédé à sa passion cléricale, et le sous-chef de l'état-major, le général Gonse, dont la conscience a pu s'accommoder de beaucoup de choses. Mais, au fond, il n'y a d'abord que le commandant du Paty de Clam, qui les mène tous, qui les hypnotise, car il s'occupe aussi de spiritisme, d'occultisme, il converse avec les esprits. On ne croirait jamais les expériences auxquelles il a soumis le malheureux Dreyfus, les pièges dans lesquels il a voulu le faire tomber, les enquêtes folles, les imaginations monstrueuses, toute une démence torturante.

Ah ! cette première affaire, elle est un cauchemar, pour qui la connaît dans ses détails vrais ! Le commandant du Paty de Clam arrête Dreyfus, le met au secret. Il court chez madame Dreyfus, la terrorise, lui dit que, si elle parle, son mari est perdu. Pendant ce temps, le malheureux s'arrachait la chair, hurlait son innocence. Et l'instruction a été faite ainsi, comme dans une chronique du quinzième siècle, au milieu du mystère, avec une complication d'expédients farouches, tout cela basé sur une seule charge enfantine, ce bordereau imbécile, qui n'était pas seulement une trahison vulgaire, qui était aussi la plus impudente des escroqueries, car les fameux secrets livrés se trouvaient presque tous sans valeur. Si j'insiste, c'est que l'œuf est ici, d'où va sortir plus tard le vrai crime, l'épouvantable déni de justice dont la France est malade. Je voudrais faire toucher du doigt comment l'erreur judiciaire a pu être possible, comment elle est née des machinations du commandant du Paty de Clam, comment le général Mercier, les généraux de Boisdeffre et Gonse ont pu s'y laisser prendre, engager peu à peu leur responsabilité dans cette erreur, qu'ils ont cru devoir, plus tard, imposer comme la vérité sainte, une vérité qui ne se discute même pas. Au début, il n'y a donc de leur part que de l'incurie et de l'inintelligence. Tout au plus, les sent-on céder aux passions religieuses du milieu et aux préjugés de l'esprit de corps. Ils ont laissé faire la sottise.

Mais voici Dreyfus devant le conseil de guerre. Le huis clos le plus absolu est exigé. Un traître aurait ouvert la frontière à l'ennemi, pour conduire l'empereur allemand jusqu'à Notre-Dame, qu'on ne prendrait pas des mesures de silence et de mystère plus étroites. La nation est frappée de stupeur, on chuchote des faits terribles, de ces trahisons monstrueuses qui indignent l'Histoire, et naturellement la nation s'incline. Il n'y a pas de châtiment assez sévère, elle applaudira à la dégradation publique, elle voudra que le coupable reste sur son rocher d'infamie, dévoré par le remords. Est-ce donc vrai, les choses indicibles, les choses dangereuses, capables de mettre l'Europe en flammes, qu'on a dû enterrer soigneusement derrière ce huis clos ? Non ! il n'y a eu, derrière, que les imaginations romanesques et démentes du commandant du Paty de Clam. Tout cela n'a été fait que pour cacher le plus saugrenu des romans-feuilletons. Et il suffit, pour s'en assurer, d'étudier attentivement l'acte d'accusation lu devant le conseil de guerre.

Ah ! le néant de cet acte d'accusation ! Qu'un homme ait pu être condamné sur cet acte, c'est un prodige d'iniquité. Je défie les honnêtes gens de le lire, sans que leur cœur bondisse d'indignation et crie leur révolte, en pensant à l'expiation démesurée, là-bas, à l'île du Diable. Dreyfus sait plusieurs langues, crime ; on n'a trouvé chez lui aucun papier compromettant, crime ; il va parfois dans son pays d'origine, crime ; il est laborieux, il a le souci de tout savoir, crime ; il ne se trouble pas, crime ; il se trouble, crime. Et les naïvetés de rédaction, les formelles assertions dans le vide ! On nous avait parlé de quatorze chefs d'accusation : nous n'en trouvons qu'une seule en fin de compte, celle du bordereau ; et nous apprenons même que les experts n'étaient pas d'accord, qu'un d'eux, M. Gobert, a été bousculé militairement, parce qu'il se permettait de ne pas conclure dans le sens désiré. On parlait aussi de vingt-trois officiers qui étaient venus accabler Dreyfus de leurs témoignages. Nous ignorons encore leurs interrogatoires, mais il est certain que tous ne l'avaient pas chargé ; et il est à remarquer, en outre, que tous appartenaient aux bureaux de la guerre. C'est un procès de famille, on est là entre soi, et il faut s'en souvenir : l'état-major a voulu le procès, l'a jugé, et il vient de le juger une seconde fois.

Donc, il ne restait que le bordereau, sur lequel les experts ne s'étaient pas entendus. On raconte que, dans la chambre du conseil, les juges allaient naturellement acquitter. Et, dès lors, comme l'on comprend l'obstination désespérée avec laquelle, pour justifier la condamnation, on affirme aujourd'hui l'existence d'une pièce secrète, accablante, la pièce qu'on ne peut montrer, qui légitime tout, devant laquelle nous devons nous incliner, le bon dieu invisible et inconnaissable. Je la nie, cette pièce, je la nie de toute ma puissance ! Une pièce ridicule, oui, peut-être la pièce où il est question de petites femmes, et où il est parlé d'un certain D... qui devient trop exigeant, quelque mari sans doute trouvant qu'on ne lui payait pas sa femme assez cher. Mais une pièce intéressant la défense nationale, qu'on ne saurait produire sans que la guerre fût déclarée demain, non, non ! C'est un mensonge ; et cela est d'autant plus odieux et cynique qu'ils mentent impunément sans qu'on puisse les en convaincre. Ils ameutent la France, ils se cachent derrière sa légitime émotion, ils ferment les bouches en troublant les cœurs, en pervertissant les esprits. Je ne connais pas de plus grand crime civique.

Voilà donc, monsieur le Président, les faits qui expliquent comment une erreur judiciaire a pu être commise ; et les preuves morales, la situation de fortune de Dreyfus, l'absence de motifs, son continuel cri d'innocence, achèvent de le montrer comme une victime des extraordinaires imaginations du commandant du Paty de Clam, du milieu clérical où il se trouvait, de la chasse aux « sales juifs », qui déshonore notre époque.

* * *

Et nous arrivons à l'affaire Esterhazy. Trois ans se sont passés, beaucoup de consciences restent troublées profondément, s'inquiètent, cherchent, finissent par se convaincre de l'innocence de Dreyfus.

Je ne ferai pas l'historique des doutes, puis de la conviction de M. Scheurer-Kestner. Mais, pendant qu'il fouillait de son côté, il se passait des faits graves à l'état-major même. Le colonel Sandherr était mort, et le lieutenant-colonel Picquart lui avait succédé comme chef du bureau des renseignements. Et c'est à ce titre, dans l'exercice de ses fonctions, que ce dernier eut un jour entre les mains une lettre-télégramme, adressée au commandant Esterhazy, par un agent d'une puissance étrangère. Son devoir strict était d'ouvrir une enquête. La certitude est qu'il n'a jamais agi en dehors de la volonté de ses supérieurs. Il soumit donc ses soupçons à ses supérieurs hiérarchiques, le général Gonse, puis le général de Boisdeffre, puis le général Billot, qui avait succédé au général Mercier comme ministre de la guerre. Le fameux dossier Picquart, dont il a été tant parlé, n'a jamais été que le dossier Billot, j'entends le dossier fait par un subordonné pour son ministre, le dossier qui doit exister encore au ministère de la guerre. Les recherches durèrent de mai à septembre 1896, et ce qu'il faut affirmer bien haut, c'est que le général Gonse était convaincu de la culpabilité d'Esterhazy, c'est que le général de Boisdeffre et le général Billot ne mettaient pas en doute que le fameux bordereau fût de l'écriture d'Esterhazy. L'enquête du lieutenant-colonel Picquart avait abouti à cette constatation certaine. Mais l'émoi était grand, car la condamnation d'Esterhazy entraînait inévitablement la révision du procès Dreyfus ; et c'était ce que l'état-major ne voulait à aucun prix.

Il dut y avoir là une minute psychologique pleine d'angoisse. Remarquez que le général Billot n'était compromis dans rien, il arrivait tout frais, il pouvait faire la vérité. Il n'osa pas, dans la terreur sans doute de l'opinion publique, certainement aussi dans la crainte de livrer tout l'état-major, le général de Boisdeffre, le général Gonse, sans compter les sous-ordres. Puis, ce ne fut là qu'une minute de combat entre sa conscience et ce qu'il croyait être l'intérêt militaire. Quand cette minute fut passée, il était déjà trop tard. Il s'était engagé, il était compromis. Et, depuis lors, sa responsabilité n'a fait que grandir, il a pris à sa charge le crime des autres, il est aussi coupable que les autres, il est plus coupable qu'eux, car il a été le maître de faire justice, et il n'a rien fait. Comprenez-vous cela ! voici un an que le général Billot, que les généraux de Boisdeffre et Gonse savent que Dreyfus est innocent, et ils ont gardé pour eux cette effroyable chose ! Et ces gens-là dorment, et ils ont des femmes et des enfants qu'ils aiment !

Le colonel Picquart avait rempli son devoir d'honnête homme. Il insistait auprès de ses supérieurs, au nom de la justice. Il les suppliait même, il leur disait combien leurs délais étaient impolitiques, devant le terrible orage qui s'amoncelait, qui devait éclater, lorsque la vérité serait connue. Ce fut, plus tard, le langage que M. Scheurer-Kestner tint également au général Billot, l'adjurant par patriotisme de prendre en main l'affaire, de ne pas la laisser s'aggraver, au point de devenir un désastre public. Non ! le crime était commis, l'état-major ne pouvait plus avouer son crime. Et le lieutenant-colonel Picquart fut envoyé en mission, on l'éloigna de plus loin en plus loin, jusqu'en Tunisie, où l'on voulut même un jour honorer sa bravoure, en le chargeant d'une mission qui l'aurait sûrement fait massacrer, dans les parages où le marquis de Morès a trouvé la mort. Il n'était pas en disgrâce, le général Gonse entretenait avec lui une correspondance amicale. Seulement, il est des secrets qu'il ne fait pas bon d'avoir surpris.

A Paris, la vérité marchait, irrésistible, et l'on sait de quelle façon l'orage attendu éclata. M. Mathieu Dreyfus dénonça le commandant Esterhazy comme le véritable auteur du bordereau, au moment où M. Scheurer-Kestner allait déposer, entre les mains du garde des sceaux, une demande en révision du procès. Et c'est ici que le commandant Esterhazy paraît. Des témoignages le montrent d'abord affolé, prêt au suicide ou à la fuite. Puis, tout d'un coup, il paye d'audace, il étonne Paris par la violence de son attitude. C'est que du secours lui était venu, il avait reçu une lettre anonyme l'avertissant des menées de ses ennemis, une dame mystérieuse s'était même dérangée de nuit pour lui remettre une pièce volée à l'état-major, qui devait le sauver. Et je ne puis m'empêcher de retrouver là le lieutenant-colonel du Paty de Clam, en reconnaissant les expédients de son imagination fertile. Son œuvre, la culpabilité de Dreyfus, était en péril, et il a voulu sûrement défendre son œuvre. La révision du procès, mais c'était l'écroulement du roman-feuilleton si extravagant, si tragique, dont le dénouement abominable a lieu à l'île du Diable ! C'est ce qu'il ne pouvait permettre. Dès lors, le duel va avoir lieu entre le lieutenant-colonel Picquart et le lieutenant-colonel du Paty de Clam, l'un le visage découvert, l'autre masqué. On les retrouvera prochainement tous deux devant la justice civile. Au fond, c'est toujours l'état-major qui se défend, qui ne veut pas avouer son crime, dont l'abomination grandit d'heure en heure.

On s'est demandé avec stupeur quels étaient les protecteurs du commandant Esterhazy. C'est d'abord, dans l'ombre, le lieutenant-colonel du Paty de Clam qui a tout machiné, qui a tout conduit. Sa main se trahit aux moyens saugrenus. Puis, c'est le général de Boisdeffre, c'est le général Gonse, c'est le général Billot lui-même, qui sont bien obligés de faire acquitter le commandant, puisqu'ils ne peuvent laisser reconnaître l'innocence de Dreyfus, sans que les bureaux de la guerre croulent sous le mépris public. Et le beau résultat de cette situation prodigieuse, c'est que l'honnête homme là-dedans, le lieutenant-colonel Picquart, qui seul a fait son devoir, va être la victime, celui qu'on bafouera et qu'on punira. O justice, quelle affreuse désespérance serre le cœur ! On va jusqu'à dire que c'est lui le faussaire, qu'il a fabriqué la carte-télégramme pour perdre Esterhazy. Mais, grand Dieu ! pourquoi ? dans quel but ? Donnez un motif. Est-ce que celui-là aussi est payé par les juifs ? Le joli de l'histoire est qu'il était justement antisémite. Oui ! nous assistons à ce spectacle infâme, des hommes perdus de dettes et de crimes dont on proclame l'innocence, tandis qu'on frappe l'honneur même, un homme à la vie sans tache ! Quand une société en est là, elle tombe en décomposition.

Voilà donc, monsieur le Président, l'affaire Esterhazy : un coupable qu'il s'agissait d'innocenter. Depuis bientôt deux mois, nous pouvons suivre heure par heure la belle besogne. J'abrège, car ce n'est ici, en gros, que le résumé de l'histoire dont les brûlantes pages seront un jour écrites tout au long. Et nous avons donc vu le général de Pellieux, puis le commandant Ravary, conduire une enquête scélérate d'où les coquins sortent transfigurés et les honnêtes gens salis. Puis, on a convoqué le conseil de guerre.

* * *

Comment a-t-on pu espérer qu'un conseil de guerre déferait ce qu'un conseil de guerre avait fait ?

Je ne parle même pas du choix toujours possible des juges. L'idée supérieure de discipline, qui est dans le sang de ces soldats, ne suffit-elle à infirmer leur pouvoir même d'équité ? Qui dit discipline dit obéissance. Lorsque le ministre de la guerre, le grand chef, a établi publiquement, aux acclamations de la représentation nationale, l'autorité absolue de la chose jugée, vous voulez qu'un conseil de guerre lui donne un formel démenti ? Hiérarchiquement, cela est impossible. Le général Billot a suggestionné les juges par sa déclaration, et ils ont jugé comme ils doivent aller au feu, sans raisonner. L'opinion préconçue qu'ils ont apportée sur leur siège est évidemment celle-ci : « Dreyfus a été condamné pour crime de trahison par un conseil de guerre, il est donc coupable ; et nous, conseil de guerre, nous ne pouvons le déclarer innocent ; or nous savons que reconnaître la culpabilité d'Esterhazy, ce serait proclamer l'innocence de Dreyfus. » Rien ne pouvait les faire sortir de là.

Ils ont rendu une sentence inique qui à jamais pèsera sur nos conseils de guerre, qui entachera désormais de suspicion tous leurs arrêts. Le premier conseil de guerre a pu être inintelligent, le second est forcément criminel. Son excuse, je le répète, est que le chef suprême avait parlé, déclarant la chose jugée inattaquable, sainte et supérieure aux hommes, de sorte que des inférieurs ne pouvaient dire le contraire. On nous parle de l'honneur de l'armée, on veut que nous l'aimions, que nous la respections. Ah ! certes, oui, l'armée qui se lèverait à la première menace, qui défendrait la terre française, elle est tout le peuple, et nous n'avons pour elle que tendresse et respect. Mais il ne s'agit pas d'elle, dont nous voulons justement la dignité, dans notre besoin de justice. Il s'agit du sabre, le maître qu'on nous donnera demain peut-être. Et baiser dévotement la poignée du sabre, le dieu, non !

Je l'ai démontré d'autre part : l'affaire Dreyfus était l'affaire des bureaux de la guerre, un officier de l'état-major, dénoncé par ses camarades de l'état-major, condamné sous la pression des chefs de l'état-major. Encore une fois, il ne peut revenir innocent, sans que tout l'état-major soit coupable. Aussi les bureaux, par tous les moyens imaginables, par des campagnes de presse, par des communications, par des influences, n'ont-ils couvert Esterhazy que pour perdre une seconde fois Dreyfus. Ah ! quel coup de balai le gouvernement républicain devrait donner dans cette jésuitière, ainsi que les appelle le général Billot lui-même ! Où est-il, le ministère vraiment fort et d'un patriotisme sage, qui osera tout y refondre et tout y renouveler ? Que de gens je connais qui, devant une guerre possible, tremblent d'angoisse, en sachant dans quelles mains est la défense nationale ! et quel nid de basses intrigues, de commérages et de dilapidations, est devenu cet asile sacré, où se décide le sort de la patrie ! On s'épouvante devant le jour terrible que vient d'y jeter l'affaire Dreyfus, ce sacrifice humain d'un malheureux, d'un « sale juif » ! Ah ! tout ce qui s'est agité là de démence et de sottise, des imaginations folles, des pratiques de basse police, des mœurs d'inquisition et de tyrannie, le bon plaisir de quelques galonnés mettant leurs bottes sur la nation, lui rentrant dans la gorge son cri de vérité et de justice, sous le prétexte menteur et sacrilège de la raison d'État !

Et c'est un crime encore que de s'être appuyé sur la presse immonde, que de s'être laissé défendre par toute la fripouille de Paris, de sorte que voilà la fripouille qui triomphe insolemment

Tiré de « Ulk » (Berlin, 4 février 1898)

LA TRIBUNA ILLUSTRATA della Domenica

ABBONAMENTI

Il numero cent. 10

(Tiratura: 125,000 copie).

Anno VI. — Domenica 11 settembre 1898 — N. 37

IL DRAMMA DREYFUS — LA FINE DEL FALSARIO.

Le suicide du colonel Henry

RÈGLE
L'AFFAIRE DREYFUS
VÉRITÉ
BORDEREAU
ZOLA EN AUTOMOBILE
Me DEMANGE
Me LABORI
LES TÉLÉGRAMMES
MANUEL DE TIR

U JEU

Afin de reconnaitre son jeu, chaque joueur devra avoir une marque distinctive, soit un plan de forteresse, soit un canon... Les boutons (même de guêtres) sont cependant plus recommandés.

Composé de 63 numéros, ce jeu se joue de la manière suivante : On prend deux dés que les joueurs jettent tour à tour en comptant sur le jeu, avec leur marque particulière, le plan de forteresse, le canon ou le bouton de guêtre, autant de points que les dés en auront indiqués.

On ne devra pas s'arrêter sur les Vérités (chose très naturelle, puisque toutes les vérités sont jusqu'à présent du boniment); quand le nombre de points amenés par les dés conduira sur une Vérité, on redoublera ces points jusqu'à ce qu'il ne se rencontre plus de Vérité; si, arrivé près du n° 63, on amène un nombre de points supérieur à celui nécessaire pour s'y arrêter, on retournera en arrière en comptant autant de points qu'on en aura de trop; on ne peut gagner la partie qu'en amenant juste le nombre qui atteindra le n° 63, où est la *Vérité toute nue*.

Qui du premier coup de dés fera *neuf* par 3 et 6 ira au n° 26 où sont *Blanche et Speranza ;* si c'est par 4 et 5, on ira au 53 où sont *Mme Lais et Esther Vas-y*, parce que les Vérités étant disposées de neuf en neuf, en redoublant on arriverait au n° 63, et on gagnerait la partie ; mais enfin, pour la gagner définitivement, il faut arriver juste au nombre 63.

Qui fera 6, où il y a *Les palissades du pont des Invalides*, payera 1 et se placera au n° 12. — Qui ira au n° 19, où il y a le *Ministère de la Guerre*, payera 2 et attendra que ses partenaires aient joué chacun deux fois. — Qui ira au n° 31, où il y a *Le Mont-Valérien*, payera 3 et attendra qu'un autre l'en retire en prenant sa place, puis il ira au numéro qu'occupait celui qui l'en a retiré.

Qui ira au n° 42, où se trouvent les bureaux de l'Etat-Major, payera 2 et retournera au n° 30.

Qui ira au n° **52**, où se trouve la *Prison du Cherche-Midi*, payera 3 et y restera jusqu'à ce qu'il en soit chassé par un autre qui changera de place avec lui. — Qui ira au n° 58, où se trouve la *Mort de la Dame voilée*, payera 3 et recommencera au n° 1. — Qui sera rencontré par l'un des joueurs payera 1 et prendra la place que celui-ci occupait.

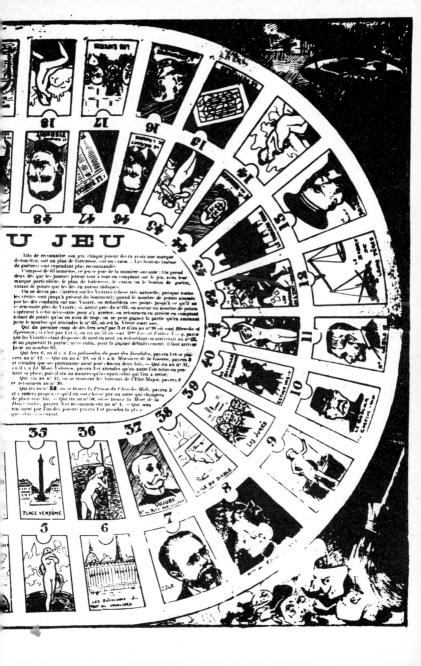

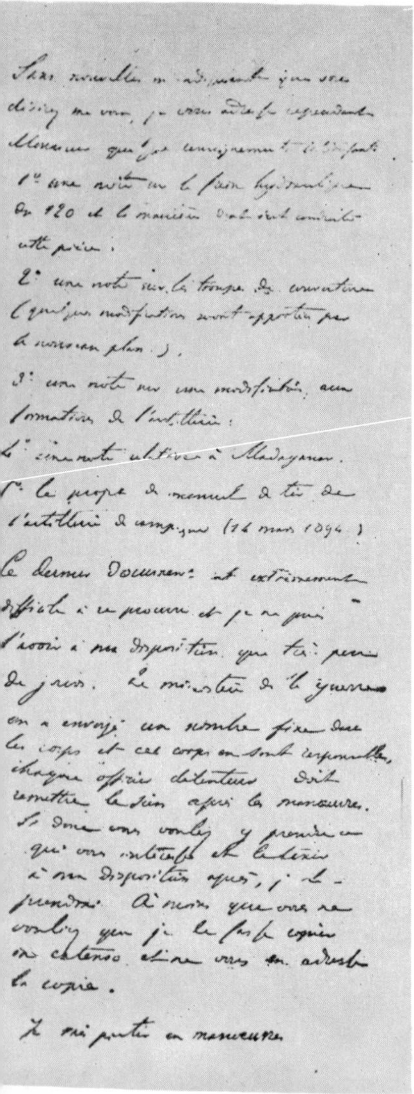

Sans nouvelles m'indiquant que vous désirez me voir, je vous adresse cependant, Monsieur, quelques renseignements intéressants :

1° Une note sur le frein hydraulique du 120 et la manière dont s'est conduite cette pièce ;

2° Une note sur les troupes de couverture (quelques modifications seront apportées par le nouveau plan) ;

3° Une note sur une modification aux formations de l'artillerie ;

4° Une note relative à Madagascar ;

5° Le projet de manuel de tir de l'artillerie de campagne (14 mars 1894).

Ce dernier document est extrêmement difficile à se procurer, et je ne puis l'avoir à ma disposition que très peu de jours. Le ministère de la guerre en a envoyé un nombre fixe dans les corps, et ces corps en sont responsables. Chaque officier détenteur doit remettre le sien après les manœuvres. Si donc vous voulez y prendre ce qui vous intéresse et le tenir à ma disposition après, je le prendrai. A moins que vous ne vouliez que je le fasse copier in extenso et ne vous en adresse la copie...

Je vais partir en manœuvres.

Le fameux bordereau, dont le capitaine Dreyfus fut accusé d'être l'auteur appeler Pascal, recevant de France des télégrammes en langage convenu, et entreprenant d'écrire le premier tome de ses *Quatre Évangiles : Fécondité.*

Lorsqu'il apprend que le procès va être révisé, il rentre ; mais la machination des bureaux militaires l'emporte de nouveau : Dreyfus est déclaré coupable une deuxième fois par le conseil de guerre. L'indignation de Zola éclate dans un nouvel article.

C'est d'ailleurs le dernier point que marquera le ministère de la guerre ; la vérité désormais va jaillir de toutes parts. Le colonel Henry se suicide, le colonel Esterhazy s'enfuit à l'étranger, Dreyfus est libéré.

Libéré, mais point encore réhabilité. Il devra pour cela attendre jusqu'en 1906. Cependant, bien qu'il s'y mêle encore l'ombre d'une mesure de clémence là où il devrait y avoir entière réparation d'une injustice, la victoire morale est complète. Dans sa lettre à Mme Alfred Dreyfus, parue dans l'*Aurore* le 29 septembre 1899, Zola exprime sa joie à la femme du condamné :

On vous rend l'innocent, le martyr, on rend à sa femme, à son fils, à sa fille, le mari et le père, et ma première pensée va vers la famille réunie enfin, consolée, heureuse. Quel que soit encore mon deuil de citoyen, malgré la douleur indignée, la révolte où continuent à s'angoisser les âmes justes, je vis avec vous cette minute délicieuse, trempée de bonnes larmes, la minute où vous avez serré dans vos bras le mort ressuscité, sorti vivant et libre du tombeau. Et, quand même, ce jour est un grand jour de victoire et de fête.

Zola a réellement été l'un des plus grands artisans de la victoire. On connaissait en lui, jusqu'alors, un grand écrivain ; de 1897 à 1900 il vient de montrer que son courage n'était pas au-dessous de son talent.

Pourtant, il n'en bénéficiera pas. Les lecteurs qui, pendant cette période, se sont détournés de son œuvre n'y reviendront plus ; bien que sa réputation ait encore grandi à l'étranger, la vente de ses livres est en baisse. Et ce ne sont pas seulement les derniers qu'on dédaigne, mais aussi les précédents, ceux de la bonne époque. L'affaire Dreyfus lui coûte cher. On lui a offert des sommes considérables en Angleterre pour écrire là-dessus, mais il a refusé, ne voulant pas publier à l'étranger des articles sur ce qu'il considère comme une querelle purement française. Quant aux articles qu'il a donnés aux journaux français, il n'a jamais accepté qu'on les lui payât. Il lui répugnait de mêler, en quelque façon que ce fût, l'argent à la cause de la justice.

Barrès a dit à Zola : « Il y a les Alpes entre vous et moi. » Car on est allé jusqu'à reprocher au romancier d'avoir eu un père italien ; de quoi ne l'a-t-on pas accusé, d'ailleurs, dans les milieux bien-pensants ! Mais sans doute suffit-il, pour juger les attitudes en présence, de se reporter à certaines déclarations du même Barrès parlant de Dreyfus, au cours du deuxième procès : « Pour atteindre ses implacables partisans, il faut le percer. Allons-y, ce faible obstacle ne doit pas embarrasser les destinées de mon pays. » Étranges destinées que celles qui se trouvent liées à une aussi mauvaise cause ; singulière conception de son pays que de le croire menacé par la vérité, par la réparation d'une injustice...

Dans les milieux du travail, par contre, le revirement est total en faveur de Zola. On l'avait accusé de calomnier les ouvriers lorsqu'il publiait *L'Assommoir* et *Germinal.* Mais en 1901 des associations ouvrières organisent un banquet pour fêter la publication de *Travail.*

C'est un fouriériste, John Labusquière, qui présidera le banquet, à la place de Zola, lequel se récuse dans ces termes :

J'ai à vous remercier de la grande joie et du grand honneur que vous m'avez faits en acceptant de présider le banquet par lequel les disciples de Fourier et des associations ouvrières ont bien voulu fêter la publication de mon roman Travail.

Si je ne suis pas à votre côté, c'est qu'il m'a semblé plus modeste et plus logique que l'homme ne fût pas là. Ce n'est pas moi qui importe, ce n'est même pas mon œuvre : ce que vous fêtez, c'est l'effort vers plus de justice, c'est le bon combat pour le bonheur humain : et je suis avec vous tous. Ne suffit-il pas que ma pensée soit la vôtre ?

Nos espoirs sont grands, l'avenir est le domaine du rêve. Mais, dès aujourd'hui, il est un fait certain, que tout indique et démontre : c'est que la société future est dans la réorganisation du travail, et que de cette réorganisation seule viendra enfin une juste répartition de la richesse. Fourier a été l'annonciateur génial de cette vérité. Je n'ai fait que la reprendre, et peu importe la route, la future Cité de Paix est au bout.

De toute évidence, le Zola de 1901 n'est plus celui qui, une quinzaine d'années auparavant, dans son étude sur Hugo, reprochait au poète ses vues utopiques :

De même quand il a foudroyé les prêtres et les rois, en exaltant une fraternité idéale des peuples, cela n'empêchera pas les peuples de se dévorer dans la suite des siècles.

Le 8 août 1902, Zola écrit à Alfred Bruneau qu'il vient d'achever *Vérité*, qui est une transposition de l'affaire Dreyfus :

Mon bon ami, j'ai enfin terminé cette terrible Vérité *qui, pendant un an, m'a demandé de grands efforts. L'œuvre est au moins aussi longue que* Fécondité, *et il s'y trouve une telle diversité de personnages, un tel enchevêtrement de faits, que jamais mon travail ne m'a demandé une discipline plus étroite. J'en sors pourtant assez gaillard, et ma tête seule a besoin de repos.*

Et il termine par ces mots :

Vous allez nous revenir tous les trois rayonnants de santé, et c'est ce qu'il faut pour vaincre le destin.

Il ne va pas tarder, pourtant, à être lui-même frappé par le destin.

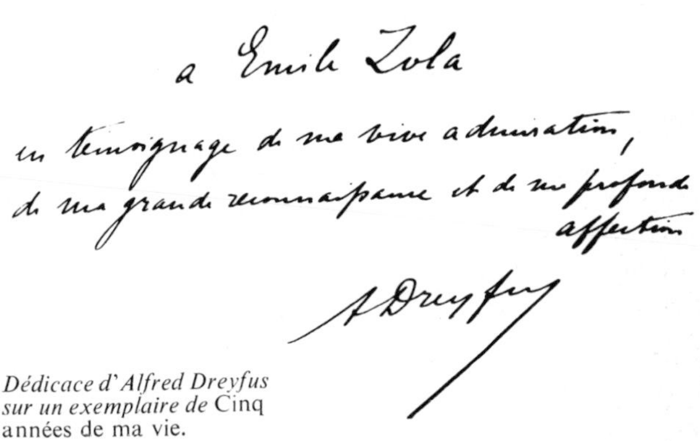
à Emile Zola

en témoignage de ma vive admiration, de ma grande reconnaissance et de ma profonde affection

A Dreyfus

Dédicace d'Alfred Dreyfus sur un exemplaire de Cinq années de ma vie.

LA MORT.

Les deux frères Goncourt, Flaubert, Alphonse Daudet, Maupassant sont morts. Et c'est au tour de Paul Alexis de disparaître. Le 6 août 1901, Zola exprimait ainsi la tristesse qu'il en ressentait :

Merci, mon cher Seménoff, de la lettre que vous m'écrivez, à propos de la mort de ce cher Alexis. J'y retrouve tout votre cœur. J'ai, en effet, eu un gros chagrin, car c'est encore un peu de ma vie d'autrefois qui s'en va. Peu à peu, je reste seul de notre groupe littéraire.

Mais il est lui-même tout près de sa fin. Les trois premiers *Évangiles* viennent d'être publiés ; il n'aura pas le temps d'écrire le dernier, *Justice.*

Le 29 septembre 1902, il vient s'installer à Paris, pour passer l'hiver. L'appartement, inhabité depuis des mois, est humide ; on allume du feu dans la cheminée, puis Zola et sa femme font un repas copieux et se couchent.

Mme Zola se lève au milieu de la nuit, la tête lourde, et se sent extrêmement fatiguée. Elle passe dans la salle de bains, où elle a des vomissements ; elle y demeure un long moment, attendant de reprendre des forces. Quand elle rentre dans la chambre, son mari vient de s'éveiller ; lui aussi est pris de malaises, il croit à une indigestion. Il se lève et tombe sur le parquet. Mme Zola tente d'atteindre la sonnette pour appeler les domestiques, mais elle n'en a pas la force et s'évanouit sur le lit où elle s'est appuyée.

Vers neuf heures du matin, inquiets, les domestiques se décident à ouvrir la porte de la chambre. Émile Zola est mort ; on transporte sa femme dans une clinique. L'écrivain avait soixante-deux ans ; il est mort sans s'en apercevoir, asphyxié.

Ses obsèques eurent lieu le dimanche 5 octobre, au milieu d'une foule immense. Au cimetière Montmartre, Anatole France prononça un discours qu'il termina par ces mots :

« Ne le plaignons pas d'avoir enduré et souffert. Envions-le. Dressée sur le plus prodigieux amas d'outrages que la sottise, l'ignorance et la méchanceté aient jamais élevé, sa gloire atteint une hauteur inaccessible.

« Envions-le : il a honoré sa patrie et le monde par une œuvre immense et par un grand acte. Envions-le, sa destinée et son cœur lui firent le sort le plus grand : il fut un moment de la conscience humaine. »

Six ans plus tard, le 6 juin 1908, les cendres de Zola étaient déposées au Panthéon, et l'on se battit encore comme au temps de l'affaire Dreyfus. La puissance et la combativité de Zola étaient telles qu'elles se prolongeaient au-delà de la mort.

Vers 1901

ÉMILE ZOLA

MES HAINES

CAUSERIES

LITTÉRAIRES ET ARTISTIQUES

> Si vous me demandez ce que je viens faire en ce monde, moi artiste, je vous répondrai : « Je viens vivre tout haut. »

PARIS

ACHILLE FAURE, LIBRAIRE-ÉDITEUR

23, BOULEVARD SAINT-MARTIN, 23

—

1866

ZOLA SIMPLE ET COMPLEXE.

Le dessin général de l'existence de Zola, l'allure très décidée de sa démarche d'écrivain, n'empêchent pas certaines singularités et contradictions d'apparaître çà et là dans son œuvre. Certes la part de la fantaisie et celle du doute sont assez minces, dans cette vie tout entière consacrée au travail et fondée, semble-t-il, sur de tranquilles certitudes. Dès que Zola a découvert sa voie, il s'y est engagé avec résolution, avec une sorte d'impatience et sans jamais s'en détourner. Mais il n'est pas d'existence, si droite qu'elle paraisse, qui n'ait ses méandres, apparents ou secrets.

Que jusqu'à sa vingt-et-unième année, Émile Zola recule devant la réalité, — devant ce qu'il appelle ainsi, — qu'il déclare qu'elle est horrible, cela est à coup sûr piquant de la part de l'homme qui va devenir le chef de l'école naturaliste, bien qu'il ne faille peut-être pas attacher plus d'importance à ses perspectives de cette époque qu'à une simple crise de croissance. Aucune œuvre de valeur ne s'y rattache, ce qui prouve bien sans doute que le véritable Zola n'est pas là.

Plus importante est sa réfutation de Proudhon, en 1866. Émile Zola a vingt-six ans quand il publie son recueil d'articles et d'études intitulé *Mes Haines*. A ce moment il a pris conscience de sa personnalité, il a déjà fait sa profession de foi naturaliste, il est à la veille d'écrire *Thérèse Raquin*, de concevoir sa série des *Rougon-Macquart*. Il sait ce qu'il veut, ce qu'il aime et ce qu'il hait. Il a parié, il a choisi ses dieux. Dans *Mes Haines*, il met en pratique le conseil qu'en 1870 il donnera à Théodore Duret :

« *Dire du bien de ceux qu'on aime, ce n'est point assez ; il faut dire du mal de ceux qu'on hait.* »

Et voici son éloge de la haine :

La haine est sainte. Elle est l'indignation des cœurs forts et puissants, le dédain militant de ceux que fâchent la médiocrité et la sottise. Haïr c'est aimer, c'est sentir son âme chaude et généreuse, c'est vivre largement du mépris des choses honteuses et bêtes.

La haine soulage, la haine fait justice, la haine grandit.

... Si je vaux quelque chose aujourd'hui, c'est que je suis seul et que je hais.

Je hais les gens nuls et impuissants ; ils me gênent.

Il va jusqu'à dire :

Je préfère, comme Stendhal, un scélérat à un crétin.

... Les médiocres doivent être jetés en masse à la place de Grève. Je les hais.

Il affirme également :

Je n'ai guère souci de beauté ni de perfection. Je me moque des grands siècles. Je n'ai souci que de vie, de lutte, de fièvre. Je suis à l'aise parmi ma génération.

Ce livre toutefois est bien loin de manifester le dogmatisme qu'on trouvera dans *Le roman expérimental.* Ce n'est qu'impressions spontanées, élans du cœur et de l'esprit, — Zola exprimant sans apprêt, sans se raidir dans les théories d'école, ce qu'il pense de tel ou tel problème. Deux études dans cet ensemble, l'une sur un ouvrage posthume de Proudhon, l'autre où il nous parle incidemment de Pascal, nous révèlent un Zola assez inattendu.

Critiquant *Le principe de l'art et sa destination sociale*, le jeune écrivain se proclame passionnément individualiste. Contre Proudhon, qui considère l'art comme un objet d'agrément ou d'utilité sociale, Zola indigné réclame — et sur quel ton ! — une liberté absolue pour l'artiste ; il refuse la servitude, de quelque couleur qu'on la pare. Il ne connaît qu'un impératif : celui de la création, échappant à toute consigne de parti ou de classe ; il n'est à ses yeux qu'une fidélité valable, celle de l'artiste à l'égard de son œuvre, sans aucun souci de pragmatisme. Ce qu'il exprime sur un mode assez violent :

Votre communauté et votre égalité nous écœurent. Nous faisons du style et de l'art avec notre chair et notre âme; nous sommes amants de la vie, nous vous donnons chaque jour un peu de notre existence. Nous ne sommes au service de personne, et nous refusons d'entrer au vôtre.

Il a cette formule magnifique :

Si vous me demandez ce que je viens faire en ce monde, moi artiste, je vous répondrai : « Je viens vivre tout haut. »

Il se proclame irréductiblement individualiste:

En un mot, je suis diamétralement opposé à Proudhon : il veut que l'art soit le produit de la nation, j'exige qu'il soit le produit de l'individu.

Un peu plus loin, il insiste encore :

Mon art, à moi, au contraire, est une négation de la société, une affirmation de l'individu, en dehors de toutes les règles et de toutes les nécessités sociales.

Le plaidoyer est chaleureux, et sans doute ce cri d'alarme a-t-il aujourd'hui pour nous quelque résonance prophétique. Avec une avance de près d'un siècle, Zola stigmatise l'abus de pouvoir que certains s'apprêtent à commettre, — qui, en criant « vive la liberté », mettent la liberté sous le boisseau.

Dans les pages qu'il consacre au roman des Goncourt, *Germinie Lacerteux*, Zola fait cet aveu, qui peut lui aussi nous surprendre :

Mon goût, si l'on veut, est dépravé ; j'aime les ragoûts littéraires fortement épicés, les œuvres de décadence où une sorte de sensibilité maladive remplace la santé plantureuse des époques classiques.

Peut-on enfin imaginer deux êtres plus opposés que Zola et Pascal ? Voici pourtant comment le romancier naturaliste réagit à la lecture des *Pensées* :

Je voudrais, en deux mots, au risque de passer pour une

pauvre intelligence, dire l'effet que m'a toujours produit une page de Pascal. Je me suis senti effrayé de mon incrédulité, et plus encore de ses croyances ; il m'a donné des sueurs en me montrant toutes les horreurs de mon doute, et cependant je n'aurais pas échangé mes frissons contre les frissons de sa foi. Pascal me prouve ma misère sans pouvoir me décider à partager la sienne. Je reste moi en tout ceci, bien que troublé et l'âme saignante.

N'est-ce pas la même attitude, le même trouble, profond mais impuissant à modifier ses convictions, qu'on retrouve chez Zola quand il prend pour thème d'une « comédie lyrique en un acte » le drame de la résurrection de Lazare ? La mère de ce dernier, son épouse et son enfant ont supplié Jésus de le leur rendre : mais le ressuscité, ayant connu la mort, ne veut plus de la vie...

C'était si bon, ô Jésus, ce grand sommeil noir, ce grand sommeil sans rêve. Jamais je n'avais connu la douceur de l'absolu repos ; il n'est que dans la tombe. Enfin, je dormais, je me reposais dans les infinies délices de la nuit et du silence.

Rien ne venait plus de la terre, ni l'écho d'un bruit, ni un frisson du jour. Et j'étais immobile, ah ! de l'immobilité éternelle, la béatitude sans fin, si divine, dans l'anéantissement du monde.

O Maître, pourquoi donc m'as-tu réveillé ? Pourquoi cette cruauté d'arracher le pauvre mort à sa joie de goûter l'éternité du sommeil ? [...]

JÉSUS. — *Pauvre être, ce sont tes amis, ce sont les tiens qui l'ont voulu, pour leur bonheur. Tu vas revivre.*

LAZARE. — *Revivre, oh ! non, oh ! non ! N'ai-je pas payé à la souffrance ma dette affreuse de vivant ? Je suis né sans savoir pourquoi, j'ai vécu sans savoir comment ; et vous me feriez payer double, vous me condamneriez à recommencer mon temps de peine, sur cette terre douloureuse !*

Quelle faute inexpiable ai-je donc commise pour que vous me punissiez d'un tel châtiment ? Revivre, hélas ! Se sentir mourir un peu chaque jour dans sa chair, n'avoir d'intelligence que pour douter, de volonté que pour ne pas pouvoir, de tendresse que pour pleurer les deuils de mon cœur !

Et c'était fini, j'avais franchi le pas de la mort, cette seconde si horrible, qu'elle suffit à empoisonner la vie entière.

J'avais senti la sueur de l'agonie me mouiller, le sang se retirer de mes membres, le souffle m'échapper en un dernier râle. Et cette détresse, vous voulez que je la connaisse deux fois, que je meure deux fois, et que ma misère humaine passe celle de tous les hommes. Oh ! non, Maître, oh ! non !

LA MÈRE. — *Lazare, ne me reconnais-tu pas ? Je suis ta mère, et mon flanc a tressailli d'allégresse, quand je t'ai vu vivant, debout. Ah ! quelle joie prodigieuse, t'avoir encore, te garder encore ! Viens, que je te conduise, que je te serve, comme aux jours lointains, lorsque tu étais petit.*

LAZARE. — *Non, non ! ma mère, aimez-moi assez pour me laisser au bonheur unique. Quelle souffrance nouvelle, si, vivant, je vous perdais ! Bientôt, vous me rejoindrez, et vous verrez comme c'est bon, comme c'est bon ! Quand on a connu les délices de ce sommeil, il n'est point sur la terre de jouissance comparable.*

L'ÉPOUSE. — *Et moi, Lazare, moi ta femme, qui soupire après ton embrassement, et qui frissonne là, depuis que ta voix passe sur ma nuque comme le vent de juin. Ne veux-tu donc plus me connaître et faire ma félicité ?*

LAZARE. — *O femme, chère femme, je ne suis plus qu'un époux infidèle, qui a couché dans le lit d'une autre, le plus doux, le plus tentateur, le plus inoubliable. J'ai couché avec la mort, l'amante éternelle, et c'était si bon, c'était si bon, de dormir dans ses bras de silence et de nuit, que mes lèvres ne sont plus faites pour tes lèvres vivantes.*

L'ENFANT. — *Et moi, père, ton enfant, vas-tu m'oublier ? Tu prenais ma petite main, tu me menais par les routes. Vas-tu me laisser ainsi tout seul ? Et tu me répétais chaque matin qu'il faut aimer la vie.*

LAZARE. — *La vie, oh ! je l'ai aimée de tout mon effort, de toute ma passion. J'ai vécu comme on aime, je me suis donné tout entier à la joie d'être. Et c'est ainsi mon enfant, que tu vivras, en continuant ma besogne ! Ta mère est là, qui te guidera. Moi, j'ai fait ma tâche, et je me suis couché, le soir venu, et personne n'avait le droit de me réveiller de mon sommeil, de mon bon sommeil.*

JÉSUS. — *Tu ne veux donc pas revivre, ô mon frère, ô pauvre homme qui fais couler mes larmes ?*

LAZARE. — *Non, non ! ne m'inflige pas le tourment de revivre, ce tourment si effroyable, que tu n'y as encore condamné aucun homme. Je t'ai toujours aimé et servi, ô Maître, ne fais pas de moi le plus grand exemple de ta colère, qui épouvanterait les générations.*

L'ENFANT. — *Père, as-tu donc vu le ciel ? Est-ce pour lui que tu nous quittes ?*

L'ÉPOUSE. — *Quelles délices surhumaines te rappellent au paradis ?*

LA MÈRE. — *Dis-nous ce que tu as vu, de l'autre côté du mur, d'où personne ne revient jamais ?*

LAZARE. — *Rien, rien, rien. J'ai dormi. L'immensité noire, l'infini du silence. Mais si vous saviez comme cela était bon, de ne plus être, de dormir dans le néant de tout !*

O Maître, si tu le peux, je t'en supplie, fais cet autre grand miracle que je me recouche dans ce tombeau, et que, sans souffrir, je me rendorme de mon éternel sommeil interrompu.

O ma mère, ô ma femme, ô mon enfant, ô mes amis, si vous m'aimez, faites-moi faire justice, suppliez Jésus de me rendre à la douce mort, à qui personne n'avait le droit de me reprendre.

LA MÈRE. — *Fais encore ce miracle. J'aime assez mon fils pour ne vouloir que sa joie ; et qu'il dorme donc en m'attendant, puisqu'il sait où est le bonheur !*

L'ÉPOUSE. — *Je t'implore aussi, fais ce miracle. Le souvenir de nos baisers sera plus ardent que ce pâle revenant de la tombe. Et je serai heureuse, s'il est heureux.*

L'ENFANT. — *Mon père est las, fais ce miracle qu'il se rendorme sans souffrance. La vie ne chômera pas, je suis là pour continuer la vie.*

LE CHŒUR. — *Sans souffrance, nous t'en conjurons. Lazare ne souffrait plus, il ne doit plus souffrir. Fais ce miracle, et que Lazare se rendorme sans souffrance.*

JÉSUS. — *Oui, oui, sans souffrance, cette fois, pauvre Lazare.. Vous le vouliez, et vous avez entendu, vous savez maintenant. Après la passion de la vie, la mort est la grande douceur. Mon cœur sévère saignait pour lui de le forcer à revivre. Et il est sage, il est juste, il est bon qu'il se rendorme.*

LAZARE. — *O Jésus, merci !*

(Il rentre dans le tombeau debout.)

JÉSUS. — *Lazare, rendors-toi !*

(Lazare se couche.)

Lazare, rendors-toi !

LAZARE, d'une voix faible. — *Quelle douceur ! merci, ô Jésus !*

Jésus. — *Lazare, rendors-toi !*

Lazare, de plus en plus bas. — *L'immensité noire, l'infini du silence, ô Jésus, merci !*

(Sa voix s'éteint.)

Jésus. — *Lazare, rendors-toi !*

(Un grand silence.)

Remettez la pierre.

(Les trois hommes remettent la dalle sur le tombeau.)

Ah ! pauvre créature humaine, créature de souffrance et de misère, dors, dors maintenant, à jamais heureuse, pour l'éternité.

Tous. — *Ah ! pauvre Lazare, pauvre homme las, brisé de misère et de souffrance, dors, dors maintenant, heureux à jamais, pour l'éternité.*

[Médan, 1er janvier 1894.]

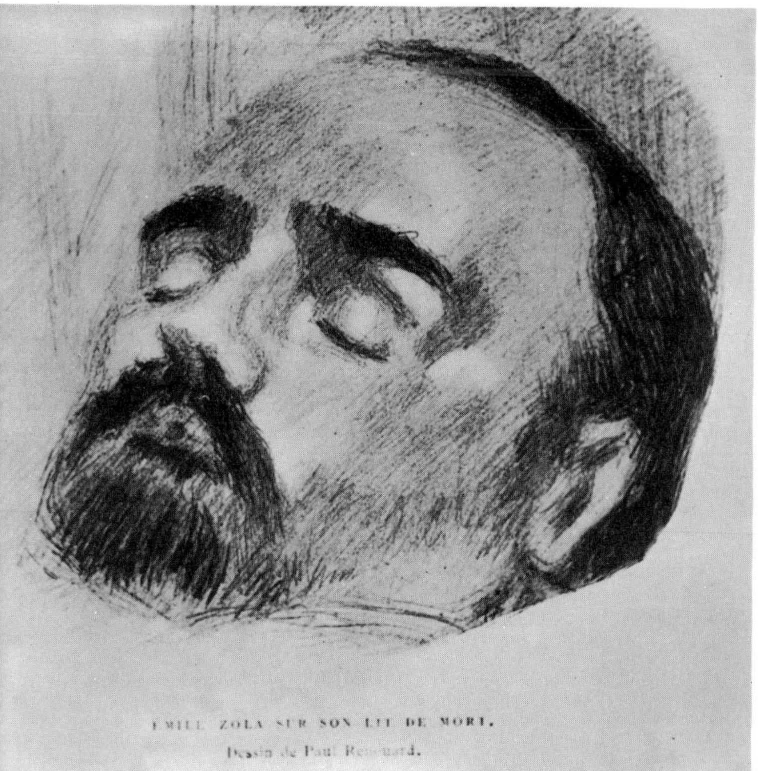

EMILE ZOLA SUR SON LIT DE MORT.

Dessin de Paul Renouard.

Et sans doute faut-il aussi faire une grande place, parmi les étrangetés qu'on peut noter chez Zola, à cette attirance qu'il ressent pour les objets religieux. Sur son bureau se trouvait un Christ en ivoire, mais aussi un calice, une boîte à hosties, un étui avec une image représentant la Vierge. Il avait rapporté de Lourdes un énorme chapelet.

Que Zola ait constamment conservé sous les yeux, à portée de la main, la plupart de ces objets, cela demeure pour moi une source d'étonnement. Rien n'était plus éloigné de lui que le satanisme. Se considérant comme un homme de science autant qu'un écrivain, niant le surnaturel, tout entier pris par le social, ayant renoncé une fois pour toutes à tourner ses regards vers la métaphysique, quel attrait singulier pouvait-il donc trouver à ces témoignages d'une foi qui lui était si parfaitement étrangère ? Était-il simplement sensible à la poésie de ces objets religieux, ou cherchait-il à s'affermir dans son agnosticisme par ces signes de ce qui n'était pour lui que superstition ?

Il est à craindre que Zola, qui fut assez avare de renseignements d'ordre intime, n'ait emporté avec lui la seule réponse valable à ces questions. Mais on ne peut pas ne pas rapprocher l'état d'esprit que nous venons de signaler, de celui qui l'a poussé, par exemple, à peindre dans ses romans tant de prêtres — tous mauvais ou médiocres.

Et n'est-ce pas un autre aspect de la complexité de Zola, qu'on peut déceler dans sa propre perspective sur son œuvre, sur la gloire qu'elle lui procure et la terrible somme de travail qu'il se condamne, jour après jour, à lui consacrer ? Là encore, l'extraordinaire assurance de Zola apparaît comme secrètement hantée par un doute profond, — sous l'effet duquel sa réussite cesse d'être une preuve et son existence même court le risque de s'anéantir dans l'absurde.

Il serait certes un peu hâtif d'en conclure que les affirmations répétées de l'écrivain, — selon lesquelles le travail constitue sa plus grande et peut-être son unique joie, — ne sont de sa part que réactions de défense et raidissement de la volonté contre ce doute, précisément, dont il éprouverait en lui la constante menace. A la repré-

Zola à Médan. ▲
Sur son bureau, des objets religieux. ▶

sentation simpliste d'un Zola « tout d'une pièce », qui est d'ailleurs la plus habituelle, on ne voit pas qu'il puisse être fécond d'opposer celle, tout aussi simpliste, d'un Zola tourmenté, déchiré, et sans cesse contraint de se faire violence pour maintenir sens et valeur à son propre mouvement. Les lignes qu'on va lire, extraites de *L'Œuvre*, — où Zola s'est mis en scène sous les traits de Sandoz en même temps qu'il décrit Cézanne à travers le personnage de Claude, — ne suggéreraient-elles pas, malgré tout, que ce doute avait en effet des racines profondes et que seul un acte de foi, extrême et véhément à la façon d'une révolte, pouvait le tenir en échec ? Du moins ne sera-t-il pas sans intérêt de confronter ici, à l'attitude de « Lazare » dans les pages précédemment citées, la saisissante confidence de « Sandoz », — et la soudaine volte-face par laquelle il s'en dégage et surmonte son émotion...

... Écoute, le travail a pris mon existence. Peu à peu, il m'a volé ma mère, ma femme, tout ce que j'aime. C'est le germe apporté dans le crâne, qui mange la cervelle, qui envahit le tronc, les membres, qui ronge le corps entier. Dès que je saute du lit, le matin, le travail m'empoigne, me cloue à ma table, sans me laisser respirer une bouffée de grand air ; puis, il me suit au déjeuner, je remâche sourdement mes phrases avec mon pain ; puis, il m'accompagne quand je sors, rentre dîner dans mon assiette, se couche le soir sur mon oreiller, si impitoyable, que jamais je n'ai le pouvoir d'arrêter l'œuvre en train, dont la végétation continue jusqu'au fond de mon sommeil... Et plus un être n'existe en dehors, je monte embrasser ma mère, tellement distrait, que dix minutes après l'avoir quittée, je me demande si je lui ai réellement dit bonjour. Ma pauvre femme n'a pas de mari, je ne suis plus avec elle, même lorsque nos mains se touchent. Parfois, la sensation aiguë me vient que je leur rends les journées tristes, et j'en ai un grand remords, car le bonheur est uniquement fait de bonté, de franchise et de gaieté, dans un ménage ; mais est-ce que je puis m'échapper des pattes du monstre ! Tout de suite, je retombe au somnambulisme des heures de création, aux indifférences et aux maussaderies de mon idée fixe. Tant mieux si les pages du matin ont bien marché, tant pis si une d'elles est restée en détresse ! La maison rira ou pleurera, selon le bon plaisir du travail dévorateur... Pas une sortie

au soleil matinal, pas une escapade chez un ami, pas une folie de paresse ! Jusqu'à ma volonté qui y passe, l'habitude est prise, j'ai fermé la porte du monde derrière moi, et j'ai jeté la clef par la fenêtre... Plus rien, plus rien dans mon trou que le travail et moi, et il me mangera, et il n'y aura plus rien, plus rien !

... Je ne parle pas des potées d'injures qu'on reçoit. Au lieu de m'incommoder, elles m'excitent plutôt... Il suffit de se dire qu'on a donné sa vie à une œuvre, qu'on n'attend ni justice immédiate, ni même examen sérieux, qu'on travaille enfin sans espoir d'aucune sorte, uniquement parce que le travail bat sous votre peau comme le cœur, en dehors de la volonté ; et l'on arrive très bien à en mourir, avec l'illusion consolante qu'on sera aimé un jour... Ah ! si les autres savaient de quelle gaillarde façon je porte leurs colères ! Seulement, il y a moi, et moi, je m'accable, je me désole à ne plus vivre une minute heureux. Mon Dieu ! que d'heures terribles, dès le jour où je commence un roman ! Les premiers chapitres marchent encore, j'ai de l'espace pour avoir du génie ; ensuite, me voilà éperdu, jamais satisfait de la tâche quotidienne, condamnant déjà le livre en train, le jugeant inférieur aux aînés, me forgeant des tortures de pages, de phrases, de mots, si bien que les virgules elles-mêmes prennent des laideurs dont je souffre. Et, quand il est fini, ah ! quand il est fini, quel soulagement ! non pas cette jouissance du monsieur qui s'exalte dans l'adoration de son fruit, mais le juron du portefaix qui jette bas le fardeau dont il a l'échine cassée... Puis, ça recommence ; puis, ça recommencera toujours ; puis, j'en crèverai, furieux contre moi, exaspéré de n'avoir pas eu plus de talent, enragé de ne pas laisser une œuvre plus complète, plus haute, des livres sur des livres, l'entassement d'une montagne ; et j'aurai, en mourant, l'affreux doute de la besogne faite, me demandant si c'était bien ça, si je ne devais pas aller à gauche, lorsque j'ai passé à droite ; et ma dernière parole, mon dernier râle sera pour vouloir tout refaire...

Une émotion l'avait pris, ses paroles s'étranglaient, il dut souffler un instant, avant de jeter ce cri passionné où s'envolait tout son lyrisme impénitent :

— Ah ! une vie, une seconde vie, qui me la donnera, pour que le travail me la vole et pour que j'en meure encore !

ZOLA POSTHUME.

Il y a soixante-neuf ans que Zola est mort ; c'est un recul suffisant pour juger une œuvre, pour la dégager des modes de son époque, des réactions éphémères qu'elle suscitait et qui pouvaient en fausser le sens.

Il faut le reconnaître : comme il arrive trop souvent lorsqu'un auteur s'astreint à une production que l'on pourrait qualifier d'industrielle, le déchet est énorme. Mais les sommets de cette œuvre apparaissent maintenant en toute clarté. Ainsi peut-on dire, je crois, que *Thérèse Raquin*, *L'Assommoir*, *Nana*, *Germinal* et *La Bête Humaine* ne fléchiront pas ; ces romans sont dignes de rester.

Quant à l'influence de Zola, elle est incontestable, non seulement en France mais dans toute la littérature mondiale. Il est peu de romanciers actuels qui ne lui doivent quelque chose, même lorsqu'ils n'en savent rien. Zola nous a donné le goût d'une réalité forte et le courage de la montrer. Ainsi que le dit Nietzsche, nous sommes devenus à son exemple « plus cyniques, mais plus francs ».

On a reproché au naturalisme de donner de l'homme une image avilie, de ne saisir en lui que le plus bas, de ne nous montrer, sous l'étiquette de la réalité, que ce qui relève de l'instinct et du physiologique. Et sans doute la grandeur d'un Dostoïevski vient-elle en effet de ce qu'il a su peindre l'homme dans son intégrité, dans sa complexité, dans sa vérité totale : corps et âme. Mais il semble que sous ce rapport le naturalisme soit moins responsable que son fondateur. Chaque fois qu'Émile Zola s'est appliqué à décrire l'autre aspect de l'homme, il est tombé dans la fadeur ; ce monde-là lui est interdit... Artiste d'une puissance rarement égalée, il faut le prendre tel qu'il est ou le rejeter. S'il ne nous a pas donné de l'homme une image

Projet d'une série de cartes postales pour l'anniversaire de l'Affaire Dreyfus, par T. Bianco (1902) ▶

nouvelle, du moins lui sommes-nous redevables d'avoir éclairé avec une force magistrale des masses entières que nul écrivain jusqu'à lui n'avait su montrer. Et son génie ne se borne pas à cette découverte du modèle : il ne suffisait pas uniquement d'y penser, encore fallait-il avoir assez de souffle pour donner vie à ces immenses fresques. Les résultats obtenus après lui dans ce domaine, l'échec des rares tentatives de ceux qui ont voulu, même en s'assignant des desseins beaucoup moins ambitieux, se risquer dans la même voie, prouvent assez que les thèmes affrontés par Zola n'étaient à la mesure que d'un talent exceptionnel.

Un autre de ses enseignements, et non le moindre, est une leçon de vaillance : tout ce qui est réel est nôtre et rien ne doit nous empêcher de le manifester. On sait quelle menace pèse sur cette liberté, qui est toujours à conquérir.

Il faut y insister enfin : la part vivante de cette œuvre a été infiniment plus utile que celle de bien des moralisateurs, et sans doute est-ce dans les moments où Zola s'est le moins soucié de servir qu'il a le mieux servi. Il a montré ce qu'avaient d'injuste les inégalités sociales qui ne reposent que sur l'origine... Alors que les écrivains esthètes détournaient leurs regards de la condition prolétarienne ou, pire encore, la côtoyaient sans la voir, il lui a consacré, avec *Germinal*, un chef-d'œuvre. Ce titre de gloire n'est pas près de s'effacer.

La sympathie que Zola avait pour le peuple, le peuple la lui a bien rendue, quand il a compris quel élan profond portait vers lui l'écrivain. Du vivant de Zola toute une espèce de folklore a surgi, prenant son œuvre pour thème. Des pipes de terre représentaient les principaux personnages de *L'Assommoir ;* on ornait des assiettes avec des scènes de ses livres ; on vendait des bagues et des médaillons à son effigie ; des plumes portaient son nom ; des statuettes figuraient Gervaise, battoir en main, en train de fesser sa rivale, — dans le meilleur style du chapitre du lavoir, de *L'Assommoir*. Toute une imagerie naïve et bonne enfant naissait ainsi des romans de Zola. Aujourd'hui encore, l'intérêt qu'il suscite ne s'est point affaibli ; dans les bibliothèques populaires, ses ouvrages sont parmi les plus demandés.

L'ASSOMMOIR

PAR

Émile ZOLA

GERVAISE

EN VENTE CHEZ C. MARPON ET E. FLAMMARION, ÉDITEURS

GALERIES DE L'ODÉON, 1 A 7, ET RUE ROTROU, 4, PARIS

ET CHEZ TOUS LES LIBRAIRES

Une telle reconnaissance lui était bien due, car il est vrai que Zola ne parle bien que du peuple ; à mesure qu'il s'en éloigne, son œuvre faiblit. Ce n'est pas un écrivain qui se penche, il est de plain-pied avec son modèle, — bien qu'il soit aveugle sur la part de songe, de fantaisie, et sur le cérémonial, qui tient parfois une si grande place dans l'âme ouvrière. Mais quoi ! La délicatesse n'est pas son fort, et l'on ne saurait demander à un athlète d'avoir la grâce du danseur.

Tel quel, Émile Zola est énorme ; son gigantisme fait de lui un phénomène. Il n'a pas fini de passionner.

MARC BERNARD.

L'observation et l'expérience. Nous autres romanciers sommes-nous des observateurs ou des expérimentateurs ? Répondre à la question avec citations.

Définition de la méthode expérimentale (22 et 24)

x Différence de l'observateur et de l'expérimentateur (29)

x L'expérience est une observation provoquée (36)

Définition de l'investigateur qui ~~cherche~~ observe et ex (38)

x Tout le mécanisme de l'observat. et de l'exp. (40 et 41)

x L'idée première, et le mécanisme de ce qui suit (44)

x Encore un résumé excellent (47)

A prendre très important

Exposé hist. de l'évolution de l'intell. humain (50)

x Toute la théorie du roman expérimental (54)

L'expérimentateur est le juge d'instruction de la nature (56)

L'idée antérieure et première (58)

Tout repose sur le doute (91)

Il n'y a que des vérités relatives, et dans le roman (86)

x Dans la prat. que les hommes font continuell. des expériences les uns sur les autres (177)

346

Sur l'observation et l'expérience. Sans réplique : 364 à

Il a démontré, puis a prouvé la ressembl. et il conclut, l'idéal qu'il faut combattre

Il faut d'abord être observ. (34)

On dit la médecine est un art et non une science, comme pour le roman. (voir note 10)

Entrée en matière. J'ai parlé souvent de la science dans le roman. On s'est moqué. Je veux nettement arrêter ce qui me paraît être. — Je prends le livre d'un savant et je l'étudie à ce point de vue. La médecine entrée dans la voie scientifique. Je trouve là toutes les questions traitées, pleines d'arguments. Tout à fait définitif sur la matière. Il n'y a le plus souvent qu'à mettre le mot romancier au lieu du mot médecin (ou autres). Je vais exposer brièvement l'ensemble du livre, car je ne veux pas en suivre l'ordre logique.

Un court exposé du livre de Claude Bernard. Tout résumé brièvement

I

I. L'observation et l'expérience.

II. Des corps bruts, aux corps vivants et au roman.

III. Se rendre maître de la nature. Morale. Utilité.

IV. Les médecins sont des artistes. Génie. Idéal. Science dans le roman.

V. Pas de formules ni de théorie. Pas de philos. Non novateur. La formule large.

Les documents reproduits aux pages 174 et 175 sont des notes prises par Zola pour son étude sur *Le roman expérimental.* Il est intéressant d'examiner dans ce cas son processus de travail, depuis la découverte du livre de Claude Bernard, *Introduction à l'étude de la médecine expérimentale*, jusqu'à la rédaction définitive de son propre texte.

1° Nombreux traits au crayon, dans la marge du livre, mais presque sans aucune annotation.

2° 12 feuillets de notes au crayon, rappelant les idées importantes du livre, avec, déjà, quelques remarques sur leur application au cas du roman.

3° 8 feuillets à l'encre, sélectionnant et synthétisant les notes précédentes, à raison d'un pour 2 ou 3 feuillets au crayon ; une fois répétée ou utilisée de la sorte, chaque note est barrée d'un trait à l'encre. (*Cf. ci-dessus, pp.* 173-174).

4° Sur un 9e feuillet à l'encre (page 175), Zola note les idées qu'il énoncera dans les 4 pages d'introduction de son étude, ainsi que le plan général de cette étude, avec les 5 parties dont elle sera composée.

5° Voici enfin le texte des deux premières pages d'introduction, correspondant aux douze premières lignes du feuillet page 175 (les deux autres pages constituant « *un court exposé du livre de Claude Bernard* ») :

Dans mes études littéraires, j'ai souvent parlé de la méthode expérimentale appliquée au roman et au drame. Le retour à la nature, l'évolution naturaliste qui emporte le siècle, poussent peu à peu toutes les manifestations de l'intelligence humaine dans une même voie scientifique. Seulement, l'idée d'une littérature déterminée par la science a pu surprendre, faute d'être précisée et comprise. Il me paraît donc utile de dire nettement ce qu'il faut entendre, selon moi par le roman expérimental.

Je n'aurai à faire ici qu'un travail d'adaptation, car la méthode expérimentale a été établie avec une force et une clarté merveilleuses par Claude Bernard, dans son Introduction à l'étude de la médecine expérimentale. *Ce livre, d'un savant dont l'autorité est décisive, va me servir de base solide. Je trouverai là toute la question traitée, et je me bornerai, comme arguments irréfutables, à donner les cita-*

tions qui me seront nécessaires. Ce ne sera donc qu'une compilation de textes ; car je compte, sur tous les points, me retrancher derrière Claude Bernard. Le plus souvent, il me suffira de remplacer le mot « médecin » par le mot « romancier », pour rendre ma pensée claire et lui apporter la rigueur d'une vérité scientifique.

*Ce qui a déterminé mon choix et l'a arrêté sur l'*Introduction, *c'est que précisément la médecine, aux yeux d'un grand nombre, est encore un art, comme le roman. Claude Bernard a, toute sa vie, cherché et combattu pour faire entrer la médecine dans une voie scientifique. Nous assistons là aux balbutiements d'une science se dégageant peu à peu de l'empirisme pour se fixer dans la vérité, grâce à la méthode expérimentale. Claude Bernard démontre que cette méthode appliquée dans l'étude des corps bruts, dans la chimie et dans la physique, doit l'être également dans l'étude des corps vivants, en physiologie et en médecine. Je vais tâcher de prouver à mon tour que, si la méthode expérimentale conduit à la connaissance de la vie physique, elle doit conduire aussi à la connaissance de la vie passionnelle et intellectuelle. Ce n'est là qu'une question de degrés dans la même voie, de la chimie à la physiologie, puis de la physiologie à l'anthropologie et à la sociologie. Le roman expérimental est au bout.*

*Pour plus de clarté, je crois devoir résumer brièvement ici l'*Introduction. *On saisira mieux les applications que je ferai des textes, en connaissant le plan de l'ouvrage et les matières dont il traite.*

Un jugement de Raymond Poincaré sur *Le roman expérimental :*

« ... Je ne serais pas éloigné de croire que M. Zola, soucieux de donner à son idée une apparence de précision mathématique, jaloux de trouver une formule originale et frappante, a laissé courir l'expression bien au-delà de sa pensée. Il rencontrait des incrédules quand il préconisait l'observation physiologique : il a reçu comme une piqûre d'aiguillon et le voilà galopant dans les théories, allant et venant de la littérature à la science, renversant toutes les barrières et, s'il faut le dire, soulevant autour de lui, par moments, quelques tourbillons de poussière. Eh bien ! admirons encore la modération qu'il a su garder, et nous sommes heureux de constater qu'après avoir combattu, je ne dis pas l'explication par M. Zola du mouvement littéraire, mais plutôt seulement la forme de cette explication, nous sommes amenés à le suivre de bien près, dès qu'il s'agit de préciser les caractères du roman moderne. »

Jugements

Octave Mirbeau :

La haine qui, à travers beaucoup d'admiration, je m'empresse de le dire, poursuit encore Zola, est facile à connaître et à déterminer. Elle vient de son grand talent, d'abord, car les médiocres ne pardonnent pas aux forts, elle vient ensuite de ce que M. Zola s'est poussé tout seul dans la vie. Car c'est la jouissance égoïste des médiocres de s'imaginer qu'ils sont pour quelque chose dans la gloire d'un écrivain, et de s'écrier en chœur : « C'est moi qui l'ai découvert ! » Or, le malheur veut que M. Zola se soit découvert lui-même. Il n'est le produit d'aucune camaraderie comme tant d'autres, il n'est point sorti des fabriques ordinaires de renommées. Soutenu par la force seule de son génie, par l'âpre ténacité de son courage, il a marché droit devant lui, et il a fait sa trouée magnifiquement. Il ne s'est abaissé à aucune concession, il n'est point entré dans le compromis, les soumissions, les grandes intrigues et les petites lâchetés dont se compose la vie des lettres... et le voilà.

(*Le Matin*, 6 nov. 1885).

Anatole France :

Messieurs, lorsqu'on la voyait s'élever pierre par pierre, cette œuvre, on en mesurait la grandeur avec surprise. On admirait on s'étonnait, on louait, on blâmait. Louanges et blâmes étaient poussés avec une égale véhémence. On fit parfois au puissant écrivain (je le sais par moi-même) des reproches sincères, et pourtant injustes. Les invectives et les apologies s'entremêlaient. Et l'œuvre allait grandissant.

Aujourd'hui qu'on en découvre dans son entier la forme colossale, on reconnaît aussi l'esprit dont elle est pleine. C'est un esprit de bonté. Zola était bon. Il avait la candeur et la simplicité des grandes âmes. Il était profondément moral. Il a peint le vice d'une main rude et vertueuse. Son pessimisme apparent, une sombre humeur répandue sur plus d'une de ses pages, cachent mal un optimisme réel, une foi obstinée au progrès de l'intelligence et de la justice. Dans ses romans, qui sont des études sociales, il poursuivit d'une haine vigoureuse une société oisive, frivole, une aristocratie basse et nuisible, il combattit le mal du temps : la puissance de l'argent. Démocrate, il ne flatta jamais le peuple et il s'efforça de lui montrer les servitudes de l'ignorance, les dangers de l'alcool qui le livre imbécile et sans défense à toutes les oppressions, à toutes les misères, à toutes les hontes. Il combattit le mal social partout où il le rencontra. Telles furent ses haines.

(Discours sur la tombe de Zola - *Pages libres*, 18 oct. 1902).

HENRI BARBUSSE :

Ce n'était pas un raffiné. Vulgaire avec grandeur, ayant l'appétit du palpable et du concret, doué d'une acuité géante comme lui, de bon sens et de clarté, voué à des méthodes de travail dures et simplistes, contemplant le populeux chantier de la grande industrie naissante et l'installation tumultueuse des grandes affaires, d'un œil d'entrepreneur plutôt que d'encyclopédiste, plein de santé, d'opiniâtreté et de souffle. Et il n'avait peur de rien. « Tant pis pour nous, s'écriait un contemporain, s'il est venu un homme que rien n'effraie ! »

(*Zola*, 1932).

JULES LEMAITRE :

A propos de Germinal :

Je ne sache pas que dans aucun roman on ait fait vivre ni remuer de pareilles masses. Cela tantôt grouille et fourmille, tantôt est emporté d'un mouvement vertigineux par une poussée d'instincts aveugles. Le poète déroule avec sa patience robuste, avec sa brutalité morne, avec sa largeur d'évocation, une série de vastes et lamentables tableaux composés de détails monochromes qui s'entassent, s'entassent, montent et s'étalent comme une marée : une journée dans la mine, une journée au coron, une réunion de révoltés la nuit dans une clairière, la promenade furieuse des trois mille misérables dans la campagne plate, le heurt de cette masse contre les soldats, une agonie de dix jours dans la fosse noyée...

M. Zola a magnifiquement rendu ce qu'il y a de fatal, d'aveugle, d'impersonnel, d'irrésistible dans un drame de cette sorte, la contagion des colères rassemblées, l'âme collective des foules, violente et aisément furieuse.

(*Revue Politique et Littéraire*, 14 mars 1885.)

JULES ROMAINS :

Sa grandeur, Zola la détient à plusieurs titres. Il est banal de louer sa puissance de constructeur ; mais si l'éloge est banal, le motif de l'éloge ne l'est pas. Depuis l'achèvement des *Rougon-Macquart*, c'est-à-dire depuis bientôt un demi-siècle, nous avons appris combien le génie de la construction est rare, combien — en littérature et ailleurs — il y a peu de grands architectes. Nous avons vu foisonner les œuvres ingénieuses et petites. Plus d'une, tout en captant les faveurs précaires du public, trouvait le moyen d'être petite sans être réussie. L'architecte n'avait rêvé que d'un kiosque mais n'avait même pas eu la force de le faire tenir d'aplomb. D'autres œuvres témoignaient de vélléités plus hautes, s'essayaient à organiser une matière plus abondante. Mais si leur ambition était honorable, elle servait surtout à nous montrer, à nous rendre palpable la difficulté des grandes entreprises. Et ces apprentis constructeurs, soit par leur embarras devant la diversité des matériaux, soit, ce qui était plus, par leur pénurie de matériaux, soit enfin par l'étroitesse de l'horizon dont leurs œuvres nous donnaient le commandement, nous faisaient retourner vers le père Zola comme vers le père Hugo, pour avoir le plaisir d'entendre respirer une poitrine infatigable, et de voir monter des murs patients, où l'énorme matière subit le joug de l'homme avec tranquillité.

(*Zola et son exemple*, 1935).

JEAN COCTEAU :

Beaucoup d'artistes illustres sont dans un certain sens, des inconnus. J'estime que Zola est un grand poète, un grand lyrique inconnu. On l'a placé, une fois pour toutes, dans une caste réaliste et sous une affiche déplaisante.

On devrait le relire. On s'apercevrait que les chevaux blancs de la mine, que l'enfant qui saigne sur les images d'Epinal, que l'ivrogne qui flambe, que la locomotive morte sous la neige, que la jeune fille qui vide ses poches dans le tunnel, que d'innombrables paragraphes de l'œuvre appartiennent à cette admirable folie des poètes et peuvent se ranger côte à côte avec les merveilles de *Splendeur et Misère* ou des *Misérables.*

(Présence de Zola).

THOMAS MANN :

Émile Zola m'est toujours apparu comme l'un des représentants les plus fortement marqués, les plus exemplaires du XIXe siècle. Jadis, il y a déjà des décennies, à l'effroi immotivé de mes compatriotes, les Allemands, je l'ai comparé à Richard Wagner; j'établissais un lien entre *les Rougon-Macquart* et *l'Anneau des Nibelungen.* Et ce lien n'existe-t-il pas? La parenté de l'esprit, des intentions, des moyens même, saute aujourd'hui aux yeux. Ce qui les relie, ce n'est pas le format ambitieux de l'œuvre, le goût de l'artiste pour le grandiose et le massif, ce n'est pas seulement du point de vue technique, le leitmotiv homérique (qui se retrouve chez Tolstoï aussi); c'est avant tout un naturalisme qui rejoint le symbole et qui est en étroite connexion avec le mythe. Car comment méconnaître dans l'épopée de Zola le symbolisme et le penchant au mythe, qui malgré toute la force drastique et une brutalité autrefois scandaleuse au service de la vérité, hausse son univers jusqu'au surnaturel?

(*Présence de Zola*, traduit par Louise Servicen).

UPTON SINCLAIR :

L'œuvre de Zola est un des grands monuments de la littérature mondiale.

(Présence de Zola).

JEAN ROSTAND :

Par son ample et directe vision des choses, par sa haine de la fausse noblesse et de la fausse vertu, par son aversion pour les rhétoriques fades et les idéalismes mensongers, par sa défiance à l'égard de ceux qui, en refusant la bête, ne font sûrement pas le jeu de l'ange, Zola fut un grand homme de vérité. Et ce n'est pas, je crois, trop simplifier son message que de mettre l'accent sur le mot sublime qui conduisit toute sa vie et qui devait, après sa mort, illuminer la couverture d'un de ses livres. Croyant à la vérité comme d'autres croient à la liberté ou à l'humanité, il fut avant tout — si l'on ose employer ce terme — un grand « Véritaire ».

(Présence de Zola).

LÉON JOUHAUX :

Je n'irai pas jusqu'à prétendre que *Germinal* joua dans le vote de la loi de 1892 sur la protection des femmes et des enfants, un rôle égal à celui de *la Case de l'Oncle Tom* dans la suppression de l'esclavage aux États-Unis, mais il n'est pas niable que les centaines de milliers d'exemplaires du roman de Zola, vendus entre 1885 et 1892 avaient, dans tous les coins de la France et dans tous les milieux, rendu tangible le martyre des herscheuses et des galibots au fond des mines à mille pieds sous terre. Et qui oserait soutenir qu'aucun de ceux qui votèrent la première phrase de l'article 9 : « Les filles et les femmes ne peuvent être admises dans les travaux souterrains des mines, minières et carrières » n'aient pas eu en mémoire la vie de souffrance et la mort de Catherine la herscheuse?

(Présence de Zola).

ANDRÉ GIDE :

Et même dans Zola, dont la valeur et l'importance restent honteusement méconnues par nombre de nos critiques et d'historiens de notre littérature, même dans Zola, je retrouve une tendance à synthétiser, à abstraire qui, malgré tout son désir de réalisme, le rattache de si près à un certain romantisme, de forme, sinon d'inspiration.

(Defense de la Culture).

Chronologie

1840, 2 avril. Naissance de Zola, à Paris.

1847. Mort de François Zola.

1850. Dr Lucas : *Traité philosophique et physiologique de l'hérédité naturelle.*

1858. Mme Zola et son fils quittent Aix-en-Provence pour Paris.

1860, avril. Commis des Douanes.

1862, février. Commis, puis chef de publicité, chez Hachette. — Naturalisation.

1863. Mariage de Zola.

1864, octobre. Publication du premier livre, les *Contes à Ninon.*

1865. Claude Bernard : *Introduction à l'étude de la médecine expérimentale.*

1867, 24 mai. Exposition Manet.

1870, 13 juillet. Dépêche d'Ems. — 4 septembre. Chute de l'Empire et proclamation de la République.

1871, 18 mars. La Commune.

1877. Zola s'installe à Médan.

1890. Zola refuse d'être candidat à la députation dans le 5e arrondissement.

1894, 15 octobre. Arrestation du capitaine Dreyfus. — 22 décembre. Déportation à l'île du Diable.

1897, décembre. Zola publie son premier article sur l'Affaire, dans le *Figaro.*

1898, 13 janvier. Publication dans l'*Aurore* de la lettre à Félix Faure (« J'accuse »). — 23 février. Zola est condamné à un an de prison et 3.000 francs d'amende. — 18 juillet. Départ pour l'Angleterre.

1899, 5 juin. — Retour de Zola en France. Libération de Dreyfus.

1902, 29 septembre - Mort de Zola, à Paris.

1908, 6 juin. Transfert des cendres de Zola au Panthéon.

Bibliographie

1864. *Contes à Ninon.*
1866. *La confession de Claude.*
1866. *Mes haines.* Causeries littéraires et artistiques.
1866. *Mon salon* (recueil d'articles).
1866. *Le vœu d'une morte.*
1867. *Édouard Manet.* Étude biographique et critique.
1867. *Les mystères de Marseille.*
1868. *Madeleine Férat.*
1868. *Thérèse Raquin.*
1871. *La fortune des Rougon* (t. I des *R.-M.*).
1871. *La curée* (t. II).
1873. *Le ventre de Paris* (t. III).
1874. *La conquête de Plassans* (t. IV).
1874. *Le forgeron.*
1874. *Les héritiers Rabourdin.* Comédie en 3 actes.
1874. *Nouveaux contes à Ninon.*
1875. *La faute de l'abbé Mouret* (t. V).
1876. *Son Excellence Eugène Rougon* (t. VI).
1877. *L'Assommoir* (t. VII).
1877. *Une page d'amour* (t. VIII).
1878. *Théâtre* : Thérèse Raquin ; Les héritiers Rabourdin ; Le Bouton de Rose.
1879. *La République et la littérature* (recueil d'articles).
1880. *Nana* (t. IX).
1880. *Le roman expérimental.* Lettre à la jeunesse ; Le naturalisme au théâtre ; L'argent dans la littérature ; Du roman ; La République et la littérature.
1880. *Les soirées de Médan.*
1881. *Documents littéraires, études et portraits* : Chateaubriand, Victor Hugo, Alfred de Musset, Th. Gautier. Les poètes contemporains. De la moralité dans la littérature.

1881. *Le naturalisme au théâtre.* Les théories et les exemples. (Recueil d'articles).

1881. *Nos auteurs dramatiques.* (Rec. d'articles.)

1881. *Les romanciers naturalistes* : Balzac, Stendhal, Gustave Flaubert, Edmond et Jules de Goncourt, Alphonse Daudet. Les romanciers contemporains.

1882. *Pot-Bouille* (t. X).

1882. *Une campagne* (1880-1881). (Rec. d'articles).

1883. *Au Bonheur des Dames* (t. XI).

1883. *Le capitaine Burle.* Comment on meurt. Pour une nuit d'amour. Aux Champs. La fête à Coqueville. L'inondation.

1884. *La joie de vivre* (t. XII).

1884. *Naïs Micoulin.* Nantas. La mort d'Olivier Bécaille. Madame Neigeon. Les coquillages de M. Chabre. Jacques Damour.

1884. *Théâtre.* Trois pièces tirées des romans par William Busnach et précédées chacune d'une préface d'Émile Zola : L'Assommoir, Nana, Pot-Bouille.

1885. *Germinal* (t. XIII).

1886. *L'œuvre* (t. XIV).

1887. *Renée.* Pièce en 5 actes, avec une préface de l'auteur. (Pièce tirée de *La Curée*).

1887. *La Terre* (t. XV).

1888. *Le rêve* (t. XVI).

1890. *La bête humaine* (t. XVII).

1891. *L'argent* (t. XVIII).

1891. *Le rêve.* Drame lyrique en 4 actes et 8 tableaux, d'après le roman de Émile Zola. Poème de Louis Gallet, musique de Alfred Bruneau.

1892. *La débâcle* (t. XIX).

1893. *Le docteur Pascal* (t. XX).

1893. *L'attaque du moulin.* Drame lyrique en 4 actes. Poème de Louis Gallet, musique de Alfred Bruneau.

1894. *Lourdes* (Les trois villes).

1896. *Rome* (Les trois villes).

1897. *Lettre à la jeunesse* (Affaire Dreyfus).

1897. *Messidor.* Drame lyrique en 4 actes et 5 tableaux. Poème d'Émile Zola. Musique de Alfred Bruneau.

1897. *Nouvelle campagne* (1896). (Rec. d'articles.)

1898. *Lettre à la France* (Affaire Dreyfus).

1898. « *J'accuse* ». Lettre publiée le 13 janvier 1898 dans le journal « L'Aurore ». Publiée en brochure sous le titre : L'affaire Dreyfus, lettre à M. Félix Faure, Président de la République.

1898. *Paris* (Les trois villes).

PRIME DU *CORSAIRE*

UN
DUEL SOCIAL

PAR

AGRIPPA

PREMIÈRE PARTIE

PARIS
AUX BUREAUX DU *CORSAIRE*
2, RUE DE MULHOUSE, 2
1873

MESSIDOR
Drame
Lyrique
EMILE ZOLA
ALFRED BRUNEAU

1899. *Fécondité* (Les quatre évangiles).

1901. *L'Ouragan.* Drame lyrique en 4 actes. Poème d'Émile Zola. Musique de Alfred Bruneau.

1901. *Travail* (Les quatre évangiles).

1901. *La vérité en marche* (Affaire Dreyfus).

PUBLICATIONS POSTHUMES :

1903. *Vérité* (Les quatre évangiles).

1905. *L'Enfant-Roi.* Comédie lyrique en 5 actes. Musique de Alfred Bruneau.

1907. *Correspondance* : Lettres de jeunesse.

1907. *Naïs Micoulin.* Drame lyrique en 2 actes tiré de la nouvelle. Poème et musique de Alfred Bruneau.

1908. *Correspondance* : Les lettres et les arts.

1916. *Les quatre journées.* Conte lyrique en 4 actes et 5 tableaux d'après Émile Zola. Poème et musique de Alfred Bruneau.

1921. *Poèmes lyriques* : Messidor, L'ouragan, L'Enfant-Roi, Violaine la Chevelue, Sylvanire, Lazare.

C'est à l'aimable autorisation de M. Étienne Fasquelle, — éditeur et ami de Zola, mort en février 1952, *— et de son fils, M. Charles Fasquelle, que nous devons d'avoir pu reproduire les textes de Zola qui figurent dans le présent ouvrage.*

ÉTUDES SUR ÉMILE ZOLA

Paul Alexis : *Émile Zola* (Charpentier, Paris 1882).
Alexandre Baillot : *Émile Zola, l'homme, le penseur, le poète* (Société Française d'Imprimerie et de Librairie, Paris 1925).
Henri Barbusse : *Zola* (Paris, Gallimard 1891).
Marc Bernard : *Présence de Zola* (Fasquelle, 1953).
Marcel Batilliat : *Émile Zola* (Reider, Paris, 1931).
Bernard Bouvier : *L'œuvre d'Émile Zola* (Eggimann, Genève 1903).
Paul Brulat : *Histoire populaire d'Émile Zola* (Librairie mondiale, Paris 1909).
Calvin Brown : *Repetition in Zola's novels* (University of Georgia Press, 1952).
Barlow Brown (Sidney) : *La Peinture des métiers et des mœurs professionnelles dans les romans d'Émile Zola* (Thèse de doctorat, Montpellier 1928).
Alfred Bruneau : *A l'ombre d'un grand cœur* (Fasquelle, Paris 1932).
Ferdinand Brunetière : *Le roman naturaliste* (Calmann-Lévy, Paris 1883).
L. A. Cartier : *Zola and the Theater* (P.U.F. 1963).
Joan Yvonne Dangelzer : *La description du milieu dans le roman français de Balzac à Zola* (Thèse, Imprimerie des Presses Modernes 1938).
Léon Deffoux : *Le Naturalisme* (Les Œuvres représentatives, Paris 1929).
L. Deffoux : *La publication de « L'Assommoir »* (Malfère, Paris 1930).
L. Deffoux et É. Zavie : *Le Groupe de Médan* (Payot, Paris 1920).
F. Doucet : *L'Esthétique d'Émile Zola et son application à la critique.*
Aimé Dupuy : *Comment Zola a vu et jugé Napoléon III* (Miroir de l'Histoire, 1952).
Aimé Dupuy : *Un très grand primaire* (Journal des Professeurs de l'Enseignement 2e degré, 1952).
Émile Faguet : *Zola* (Imprimerie Eynéoud, Paris 1903).
Ida M. Fraudon : *Autour de Germinal : La Mine et les mineurs* (E. Droz, Genève, 1955).
Hemmings : *Émile Zola* (Oxford, Clarendon Press, 1952).
Édouard Herriot : *Émile Zola et son œuvre* (Fasquelle, Paris 1935).
Bertrand de Jouvenel : *Vie de Zola* (Librairie Valois, Paris 1933).
A. Laborde : *Trente huit années près de Zola* (Les Éditeurs Français Réunis, 1963).
Fernand Labori : *Plaidoirie pour Zola* (Fasquelle, Paris 1898).
Armand Lanoux : *Bonjour, Monsieur Zola* (Amiot-Dumont, 1954).
Denise Le Blond-Zola : *Émile Zola, raconté par sa fille* (Fasquelle, Paris, 1931).
Maurice Le Blond : *La Publication de « La Terre »* (Malfère, Paris 1937).
Jules Lemaître : *Les Contemporains*, t. I (H. Lecène et H. Oudin, 1886).
Edmond Lepelletier : *Émile Zola*, sa vie, son œuvre (Mercure de France, 1908).
Stéphane Mallarmé : *Dix-neuf lettres à Émile Zola* (Jacques Bernard, La Centaine, Paris 1929).

Heinrich Mann : *Zola* (Nouvelle Revue Critique, Paris 1937).
Henri Martineau : *Le Roman scientifique d'Émile Zola, la Médecine et les Rougon-Macquart* (thèse Baillière, Paris 1907).
P. Martino : *Le Naturalisme français* (Armand Colin, Paris 1923).
Henri Massis : *Comment Émile Zola composait ses romans* (Fasquelle, Paris 1906).
Guy de Maupassant : *Émile Zola* (Quentin, Paris 1883).
Paul Louis : *Les types sociaux chez Balzac et Zola* (Le Monde Moderne, Paris 1925).
H. Mitterand : *Quelques aspects de la création littéraire dans l'œuvre de Zola.*
H. Mitterand : *La Naissance du Naturalisme* (Les Cahiers Naturalistes, 1963).
Charles Péguy : *Émile Zola* (Les Cahiers de la Quinzaine, 5e. Cahier, 4e Série, 1902).
Louis Piérard : *Zola* 1938 (Deurne, Éditions *Ça ira*, Anvers 1938).
J. C. Ramond : *Les Personnages des Rougon-Macquart* (Fasquelle, Paris 1901).
John Rewald : *Cézanne et Zola* (Sedrowski, Paris 1936).
Guy Robert : *La Terre* (Société d'édition Les Belles Lettres, 1952).
Édouard Rod : *A propos de « L'Assommoir »* (Marpon et Flammarion, Paris 1879).
Jules Romains : *Zola et son exemple* (Flammarion, Paris 1935).
Edmond Rostand : *Deux Romanciers de Provence, Honoré d'Urfé et Émile Zola, le roman sentimental et le roman naturaliste.* (Champion, Paris 1921).
Albert É. Salvan : *Zola aux États-Unis* (Brown University-Providence Canada 1943).
J.-W. Scott : *Réalisme et Réalité dans la Bête Humaine* (R.H.L., 1963).
Ernest Seillière : *Émile Zola* (Grasset, Paris 1922).
Sienkiewicz : *Lettres sur Zola* (Carnet historique et littéraire, 1901).
Laurent Tailhade : *Conférence sur l'œuvre de Zola* (Tours, 1902).
Ph. von Tieghem : *Introduction à l'étude d'Émile Zola* (Centre de Documentation Universitaire, 1953).
E. A. Vizetelly : *With Zola in England* (Chatto, London 1899).
E. A. Vizetelly : *Émile Zola* (Chatto, London).
Alexandre Zévaès : *Zola* (Éditions de la Nouvelle Revue Critique, Paris 1945).

NOTE SUR LES ILLUSTRATIONS

Toutes les illustrations contenues dans le présent ouvrage reproduisent des documents qui ont été mis à notre disposition par la famille d'Émile Zola.

Nous avons plaisir à exprimer notre gratitude à l'égard du Docteur et de Madame Jacques Zola, pour la très aimable façon dont ils n'ont cessé, sous tous les rapports, de faciliter notre tâche.

ŒUVRES DE ZOLA EN LIBRAIRIE

LES ROUGON-MACQUART

La Fortune des Rougon : Fasquelle. Hachette, coll. « Le Livre de poche ».
La Curée : Fasquelle, coll. « Diamant ». Coll. « Le Livre de poche ».
Le Ventre de Paris : Fasquelle, relié. Coll. « Le Livre de poche ».
La Conquête de Plassans : Fasquelle. Coll. « Le Livre de poche ».
La Faute de l'abbé Mouret : Fasquelle, relié. Coll. « Le Livre de poche ».
Son Excellence Eugène Rougon : Fasquelle. Coll. « Le Livre de poche ».
L'Assommoir : Fasquelle. Coll. « Le Livre de poche ». Larousse, coll. « Classiques ». Garnier, coll. « G. F. ».
Une page d'amour : Fasquelle, relié. Hachette, coll. « B 24 ». Coll. « Le Livre de poche ».
Pot-Bouille : Fasquelle, épuisé. Coll. « Le Livre de poche ».
Au bonheur des dames : Fasquelle. Coll. « Le Livre de poche ».
La Joie de vivre : Fasquelle. Coll. « Le Livre de poche ».
Nana : Fasquelle, relié. Coll. « Le Livre de poche ». Hachette, coll. « B 24 ».
Germinal : Fasquelle, coll. « Diamant ». Hachette, coll. « B 24 ». Coll. « Le Livre de poche ». Larousse, coll. « Classiques ». Garnier, coll. « G. F. ».
L'Œuvre : Fasquelle, relié. Coll. « Le Livre de poche ».
La Terre : Fasquelle, broché, relié. Coll. « Le Livre de poche ».
Le Rêve : Fasquelle, épuisé. Édition G. P., épuisé. Hachette, coll. « B. V. ». Coll. « Le Livre de poche ».
La Bête humaine : Fasquelle, relié. Coll. « Le Livre de poche ».
L'Argent : Fasquelle. Coll. « Le Livre de poche ».
La Débâcle : Fasquelle. Coll. « Le Livre de poche ».
Le Docteur Pascal : Fasquelle. Coll. « Le Livre de poche ».
Les Rougon-Macquart : Gallimard, coll. « Bibliothèque de la Pléiade », 3 vol.
Les Rougon-Macquart, relié Éd. du Seuil, coll. « L'Intégrale », 6 vol. : (présentation et notes de Pierre Cogny, préfaces de J.-C. Le Blond-Zola).

LES TROIS VILLES

Lourdes : Fasquelle.
Rome : Fasquelle.
Paris : Fasquelle.

ŒUVRES DIVERSES

Contes à Ninon : Fasquelle, épuisé.
Documents littéraires : épuisé.
La Fête à Coqueville : (ill. par A. Devambez), Fasquelle, épuisé.
J'accuse : Fasquelle, Éd. du Cinquantenaire. Pauvert.
Lazare : Ides et Calendes (Bib. des Arts), épuisé.
Lettres à la France : Fasquelle, épuisé.
Lettres de Paris : Droz.
L'Inondation : Fasquelle, épuisé.
Madame Sourdis : Fasquelle, épuisé.
Madeleine Ferat : Fasquelle, épuisé.
Mes haines : Fasquelle, épuisé.
Messidor : Fasquelle, épuisé.
Pages choisies : Hachette, coll. « Vaubourdolle ».
Poèmes lyriques : Fasquelle, épuisé.
Les Soirées de Médan : Fasquelle, épuisé.
Thérèse Raquin : Fasquelle. Coll. « Le Livre de poche ».
Fécondité : Fasquelle.
Travail : Fasquelle.
Vérité : Fasquelle.
La République en marche : Fasquelle.
Mes voyages - Lourdes - Rome : Carnets inédits présentés et annotés par René Ternoir : Fasquelle, épuisé.
Salons : Minard, épuisé.

ROMANS

24 volumes. Éditions Rencontre.

ÉDITIONS ILLUSTRÉES

Pot-Bouille : illustré de 10 aquarelles de Jean Terles. *Germinal :* 12 aquarelles de Fontanarossa. *La Bête humaine :* 10 aquarelles de Tibor Csernus, 1 volume relié chagrin noir, maquette de Paul Bonnet, Gallimard.

Table

Jusqu'à dix-huit ans, à Aix 5
Les débuts à Paris 11
Chef de publicité 17
De 1866 à la guerre 27
Création des Rougon-Macquart 37
L'Assommoir 47
Une page d'amour 65
Nana 71
Au Bonheur des Dames 91
Germinal 99
Fin des Rougon-Macquart 117
L'affaire Dreyfus 135
La mort 151
Zola simple et complexe 165
Zola posthume 167

Jugements 178
Chronologie 182
Bibliographie 183
Note sur les illustrations 189

ACHEVÉ D'IMPRIMER EN 1980 PAR L'IMPRIMERIE TARDY QUERCY S.A. — BOURGES
D. L. 2e trim. 1952. - No 486.13 (2092).